101 PRODUITS QUÉBÉCOIS

À DÉCOUVRIR...

© Les Éditions Goélette inc.
1350, Marie-Victorin
Saint-Bruno (Québec) Canada J3V 6B9
Téléphone : 450-653-1337

Coordination :
Esther Tremblay

Recherche :
Esther Tremblay
Amélie Surprenant
Katia Senay

Infographie :
Katia Senay
Marie-Claude Parenteau

Rédaction :
Stéphanie Lovejoy

« Gouvernement du Québec - Programme de crédit
d'impôt pour l'édition de livres - Gestion Sodec »

Le Dépôts légaux :
Deuxième trimestre 2008
Bibliothèque nationale et archives du Québec
Bibliothèque nationale du Canada

Imprimé au Canada

ISBN : 978-2-89638-129-6

101 PRODUITS QUÉBÉCOIS À DÉCOUVRIR...

SVP
LIRE AVEC SOIN
IMPORTANT
MERCI

Les Éditions Goélette inc.

Table des matières

Table des matières

Table des matières

Avant-propos

Nous avons fait ce livre pour rendre hommage au talent et à la créativité des artisans, artistes, producteurs et entrepreneurs québécois. Ces hommes et ces femmes qui contribuent à faire connaître et apprécier le Québec partout dans le monde.

Chaussures, cidres de glace, vélos, instruments de musique, soins pour le corps, sacs à main, œuvres d'art, meubles, crème glacée, bijoux, chocolats… L'excellence des produits du Québec s'étend maintenant à tous les secteurs de productivité et bien au-delà de nos frontières. Il n'est pas rare de se promener dans les rues de Paris ou de Bangkok et de tomber sur un produit conçu au Québec. Qui aurait dit, par exemple, que le Québec est réputé pour ses boomerangs ou que son cheddar est un des préférés des Britanniques ?

Les 101 produits que nous vous proposons dans ces pages ont tous été conçus au Québec. Si quelques-uns sont aujourd'hui fabriqués ailleurs, en tout ou en partie, tous sont, au départ, le fruit du génie de créateurs québécois.

Bien sûr, la dernière chose que nous voulions, c'était de faire un catalogue publicitaire, nous avons donc constitué un « jury » maison. L'équipe des Éditions Goélette a ainsi effectué un laborieux travail de recherche pendant lequel nous avons visité de nombreux sites Internet, épluché les prix de concours d'excellence, lu des commentaires et critiques de produits dans les magazines et les journaux, interrogé sans relâche nos amis et nos familles, goûté, testé, essayé…

Tout au long de cette recherche, nous n'avons jamais cessé d'aller de découverte en découverte, émerveillés par l'inventivité de nos compatriotes et surpris du nombre de produits d'ici pouvant faire concurrence à des produits haut de gamme venus de partout dans le monde. Le principal problème que nous ayons rencontré : choisir! Car s'il n'a pas été difficile de trouver des produits dignes de figurer à notre palmarès des meilleurs produits d'ici, il a été très difficile de n'en choisir que 101!

En effet, beaucoup (beaucoup trop, selon nos contraintes éditoriales) ont été de vrais coups de cœur! Avoir à n'en garder que 101 a suscité bien des discussions… et des regrets. Surtout que nous en avons sûrement oublié un grand nombre, forcément…

En terminant, un avertissement : même si nous avons, bien sûr, vérifié avec soin toutes les informations – en particulier les coordonnées des différentes entreprises –, il est possible qu'au moment où vous lirez ces lignes certaines ne soient plus valables. Le cas échéant, nous vous prions à l'avance de nous excuser pour tout inconvénient que cela pourrait vous causer.

Nous sommes fiers de vous présenter nos 101 coups de cœur et nous souhaitons que ce livre, tout comme il l'a fait pour nous, vous inspire et vous donne 101 raisons de plus d'être fiers d'être québécois.

L'équipe des Éditions Goélette

..... Alimentation

Moi j'mange !

**Il n'y a pas d'amour plus sincère
que celui de la bonne chère.**

(George Bernard Shaw)

Mille et une vertus

L'ail des champs de la Ferme Chant-O-Vent

La Ferme Chant-O-vent, dans Lanaudière, a un nom qui transporte, qui fait rêver. C'est en découvrant les beautés de la nature après avoir vécu en ville toute leur vie que les propriétaires ont décidé du nom, inspiré par la brise continuelle et le concert des oiseaux. La spécialité de la ferme : l'ail. Depuis les années 1980, ils y cultivent cette plante aux mille vertus de la famille des liliacées. Riche en calcium, en cuivre, en zinc et en antioxydants, l'ail est un must dans la cuisine de tous les jours comme dans les plats de fête. L'allicine qu'il contient stimule la circulation sanguine, aide à diminuer le taux de cholestérol, renforce le système immunitaire. Panacée reconnue depuis l'Antiquité, l'ail est un antibiotique naturel, un antiseptique, un bactéricide… et il a un goût et un parfum délicieux !

Variations sur le même thème

La Ferme Chant-O-Vent cultive l'ail et le transforme. Aussitôt récolté, il est pelé et mis dans des pots de verre, avec du vinaigre et du sel, sans additif ni agent de conservation. Idéal pour une cuisine-minute pleine de saveur. On propose plusieurs façons d'intégrer l'ail à nos plats préférés : l'ail des champs – qui rappelle le goût de l'ail des bois – , l'ail émincé, l'ail mariné et l'ail aux fines herbes.

Saint-Esprit ❖ www.chantovent.ca

La canneberge réinventée

Nutra-Fruit

On connaît bien la canneberge, au Québec. On la mange en gelée avec la dinde à Noël, on la grignote séchée, on la boit… Pourtant, grâce à Nutra-Fruit, on a l'impression de la découvrir. Cette toute jeune entreprise de la ville de Québec a su donner à ce petit fruit une place encore plus importante au cœur de la gastronomie. Poudre pure canneberge (on l'ajoute à un gâteau au fromage pour une couleur vibrante, on la saupoudre sur le yogourt, on l'ajoute à des marinades pour parfumer et colorer viandes et poissons), huile de pépins de canneberge, salsa épicée à la canneberge, tartinade chocolat et canneberge, gelée de canneberge et cidre de glace, confit d'oignons et canneberges, canneberges infusées au porto et érable, au poivre rose ou à l'ail et au romarin… Les 23 produits de Nutra-Fruit séduiront à coup sûr les plus fins gourmets. Sur le site Internet de l'entreprise, on trouve une foule de recettes inventives créées par « le chef », alias Jean-François Veilleux, président de l'entreprise. Pour vous donner l'eau à la bouche : croustillant de ris de veau au caramel de canneberges, chèvre chaud à la canneberge, selle d'agneau en croûte au confit d'oignons et canneberges, sushi à la canneberge Nutra-Maki…

Couleur et santé dans l'assiette

On n'en finit plus de vanter les vertus de la canneberge. Plusieurs études ont montré que la canneberge est un aliment fonctionnel, c'est-à-dire qui procure un avantage pour la santé et qui réduit les risques de maladie. Grâce aux antioxydants qu'elle contient, elle jouerait un rôle dans la prévention des maladies liées au vieillissement, du cancer, des infections urinaires, des maladies cardiovasculaires. De plus, elle favoriserait un équilibre de la flore intestinale et permettrait de renforcer les défenses immunitaires. L'huile de pépins de canneberge a une forte teneur en omégas 3 et en vitamine E. Pour tirer profit au maximum des vertus nutritionnelles de la canneberge, Nutra-Fruit n'utilise que des fruits issus d'une agriculture sans OGM et n'ajoute aucun agent de conservation ni additif chimique.

Québec ❖ www.nutra-fruit.com

Fleurs, herbes et flocons

Les céréales granola La fourmi bionique

C'est en 2004 que les sœurs jumelles Geneviève et Valérie Gagnon décident de se lancer en affaires : elle mettront en marché les délicieux mélanges de céréales qu'elles ont concoctés avec une amie herboriste. Leur originalité : elles ajoutent à leurs céréales des fleurs et des herbes pour un goût différent et encore plus de bienfaits pour la santé. Dans un complexe manufacturier centenaire sur les bords du canal Lachine, les sœurs Gagnon emploient aujourd'hui une dizaine de personnes et ont remporté le prix de la meilleure entreprise 2007 au niveau national de la Fondation canadienne des jeunes entrepreneurs.

Commencer la journée du bon pied

La fourmi bionique propose plusieurs produits. Pour un réveil plein de vitalité, essayez le mélange du même nom : l'orange vif des pétales de calendula (souci) et le rouge des canneberges vous donneront une énergie d'enfer, surtout si vous ajoutez du lait ou du yogourt et des fruits frais. Voici, en vrac, quelques-uns des ingrédients que l'on retrouve dans leurs mélanges aux noms aussi évocateurs que l'Aphrodisiaque, l'Essentiel, l'Euphorique ou le Divin : flocons d'avoine et d'orge, farine d'épeautre, graines de lin, graines de sésame, noix de macadam, chocolat blanc, chocolat noir, miel, sirop d'érable… et des herbes comme le calendula, qui a une action cicatrisante, antiseptique, purifiante et drainante, les baies de sureau noir, qui ont un arôme de bleuet et d'anis, la guimauve, le ginseng sibérien, l'orme rouge… Les produits qui entrent dans la composition des céréales de La fourmi bionique sont issus de l'agriculture biologique.

Montréal ❖ www.lafourmibionique.com

Délices design

Les Chocolats Geneviève Grandbois

Caramel et fleur de sel, piment, thé, eau de rose et cardamome, érable et éclats de pacanes, gianduja, safran, huile de truffe blanche, vinaigre balsamique, feuilles de cigare Monte Cristo… Faits à la main, à partir des meilleurs chocolats au monde (Valrhona, Amedei, Michel Cluizel, les crus de Cacao Barry…), les chocolats de Geneviève Grandbois sont reconnus pour l'originalité de leurs saveurs et de leur look. Qui a vu ces petits carrés aux imprimés design ne peut pas les oublier et qui les a goûtés ne peut plus s'en passer !

La chocolatière

C'est à peine sortie de l'adolescence que la Montréalaise Geneviève Grandbois connaît le coup de foudre qui va déterminer sa vie : le chocolat. Dès lors, elle n'a plus qu'une idée en tête : devenir chocolatière. Pour tout apprendre sur sa nouvelle passion, elle part étudier au pays du chocolat, la Belgique, et très vite se met à créer ses propres recettes. Il ne lui reste plus qu'un pas à franchir pour réaliser son rêve : avoir pignon sur rue. C'est en 2002. qu'elle ouvre son fameux atelier-boutique de la rue Saint-Viateur ainsi qu'une boutique au marché Atwater. Aujourd'hui, les Chocolats Geneviève Grandbois se retrouvent également dans plusieurs épiceries fines au Québec et dans le reste du Canada.

Montréal ❖ www.chocolatsgg.com

Sages gourmandises

Les confitures sans sucre La Fraisonnée

Quel bonheur que de plonger dans un pot de confiture quand on sait qu'on peut le faire sans sentiment de culpabilité! Les tartinades sans sucre ajouté de la Fraisonnée contiennent des fruits frais, peu de calories et sont indiquées pour les personnes qui souffrent de diabète ou d'hypoglycémie. Quel est leur secret? Elles contiennent du maltitol, un édulcorant obtenu par l'hydrolyse de l'amidon, qui n'a pas besoin d'insuline pour être métabolisé par l'organisme et qui a un pouvoir sucrant de 90 % par rapport à celui du sucre. De plus, l'amidon de maïs qu'elles contiennent est garanti sans OGM. De quoi nous faire finir le pot le temps de le dire! On en met dans le yogourt, sur la crème glacée, les crêpes, les croissants… ou on les mange à la petite cuillère!

Pas que des fraises...

La Fraisonnée est une entreprise familiale qui s'est donné comme mandat de réinventer la confiture. Pari gagné! Non seulement, ses tartinades sont savoureuses, mais leurs textures sont vraiment particulières. Comment La Fraisonnée parvient-elle à ce résultat? Grâce à la méthode de fabrication traditionnelle et parce qu'il n'y a pas de pectine ajoutée, nous dit-on. Mais le fait d'être dans la nature, en Abitibi, au milieu de champs regorgeant de fraises a probablement aussi son influence! C'est d'ailleurs de là que vient le nom de la maison. Mais il est bien loin le temps où la Fraisonnée n'utilisait que des fraises dans ses produits. Aujourd'hui, l'entreprise a «dû» succomber à la pression populaire et offre des tartinades sans sucre de framboises, de fraises et bleuets, de canneberges et de pêches. De quoi se délecter de fruits frais à longueur d'année!

Clerval ❖ www.lafraisonnee.com

La douceur de la nature

Les gourmandises Campagne & Cie

Qui n'aime pas les fleurs ? On s'en sert comme centre de table, on s'en met dans les cheveux, à la boutonnière… Depuis quelques années, on en retrouve même dans les assiettes ! Vous adorez, mais vous ne savez pas comment les utiliser ? Campagne & Cie a trouvé. L'entreprise familiale de Saint-Jean-sur-Richelieu fabrique des tartinades, des sirops et des gelées qui mélangent les saveurs des fleurs à celles des fruits.

L'élite des tartinades

Leur tout premier produit, créé en 1992, la gelée de rose, a gagné le prix du produit le plus attrayant du magazine américain *Gourmet Retailer*. Dans un joli pot, des pétales de rose semblent flotter, comme en état d'apesanteur, dans une gelée délicatement parfumée. Irrésistible. Quelques autres délices ? Les gelées de pensée et citron, de jasmin et orange, la tartinade de violette et bleuets, le sirop de pensée et fruits de la passion… Notre chouchou, c'est la tartinade de rose sauvage, lavande et framboise. Et nous ne sommes pas les seuls ! En effet, ce produit a été finaliste au prestigieux concours National Association for Specialty Food Trade, dans la catégorie « meilleure tartinade ». Elle se classe ainsi parmi les cinq meilleures en Amérique du Nord. Gageons que vous ne regarderez plus les fleurs de la même manière…

Saint-Jean-sur-Richelieu ❖ www.floralfood.com

Merveilles glacées

Glaces et sorbets Le Bilboquet

Établi depuis plus de 20 ans dans la chic rue Bernard, à Outremont, le Bilboquet est une institution. Amateurs de délices glacés, vite, courez faire la queue chez l'artisan glacier! Crèmes glacées onctueuses, yogourts et sorbets rafraîchissants, gâteaux et autres merveilles valent l'attente.

Mille et une couleurs

Et puis attendre votre tour vous permettra de commencer à vous familiariser avec le vaste échantillon de parfums parmi lesquels vous aurez bientôt à choisir. En lisant le menu affiché au mur et en écoutant les conversations! La jeune fille derrière vous est une accro de la crème glacée Cacaophonie : des morceaux de chocolat blanc et de noix de cajou croquantes dans une riche crème glacée au chocolat noir. Mmm… pas mal. Mais un petit garçon devant vous est fou du sorbet aux poires : c'est comme si on croquait dans le fruit, raconte-t-il à son copain. Son père, lui, a une autre préférée : la crème glacée à la tire d'érable, dans laquelle des morceaux de tire vous collent dans les dents avant de fondre sur votre langue. Bon, le choix va être difficile.

Devant le comptoir, la tête vous tourne : les couleurs sont toutes plus appétissantes les unes que les autres… le rose foncé de la framboise, le jaune orangé de la mangue, le blanc immaculé de la noix de coco, le brun doux des marrons, le blanc cassé de la «divine vanille», un classique qui porte admirablement son nom… Mais pourquoi se limiter à une saveur quand on peut en choisir deux… ou trois!

Le secret du bonheur

Mais quel est donc leur secret? Tout d'abord, le Bilboquet fabrique ses crèmes glacées, yogourts et sorbets de manière artisanale, à partir de produits 100 % naturels : par exemple, sirop d'érable de la région de Thetford-Mines, cassis québécois, fruits de la région de Hatley… Ensuite, leurs crèmes glacées sont faites avec de la crème 35 % (eh oui! on n'a rien sans rien…), ce qui veut dire qu'elles contiennent 90 % moins d'air, ce qui leur donne leur incroyable onctuosité. Mmm… Le bonheur!

Outremont

Un paradis en chocolat

La Cabosse d'Or

Pour nos enfants et pour l'enfant qui sommeille en nous, la Cabosse d'Or est un véritable paradis : le monde merveilleux du chocolat... Il y a d'abord le salon de thé, aux allures de petit château. Qu'est-ce qu'on y mange ? Du chocolat, bien sûr ! Sous toutes ses formes : gâteaux, coupes glacées, pâtisseries, biscuits, chocolat au lait, noir, blanc, sans sucre... le plaisir se décline presque à l'infini ! Grâce à la configuration de l'endroit, on peut même y voir travailler les pâtissiers : leur savoir-faire est impressionnant ! Les hôtesses en costume traditionnel nous apportent ces délices avec un sourire complice : elles savent que l'on est sur le point de vivre une expérience dont on se souviendra longtemps !

À chaque saison son plaisir

Pendant la saison froide, on peut venir siroter son chocolat chaud – fait avec du vrai chocolat, ce qui lui donne une richesse et une onctuosité inégalées – devant la chaleur d'un feu de foyer. À la belle saison, un must absolu : s'installer sur la terrasse pour déguster une délicieuse crème glacée. Une agréable et immense terrasse de 2500 pieds carrés, avec vue sur... le minigolf !

Choco-putt

Oui, la Cabosse d'Or possède son propre minigolf, mais un minigolf pas ordinaire, qui a comme thème – vous l'aurez deviné – le chocolat! Au détour d'un ruisseau ou d'un étang boisé, on apprend tout sur le chocolat, sur sa préparation et son histoire. Un endroit magnifique, de 115 000 pieds carrés.

Otterburn Park ❖ www.lacabossedor.com

Divin mariage

Foie gras au cidre de glace
Ferme l'Oie d'Or

En Montérégie, la Face cachée de la pomme produit Neige, un cidre de glace dont la réputation n'est plus à faire. Dans Lanaudière, la Ferme l'Oie d'Or produit un foie gras à partir d'oies élevées sans hormones de croissance, sans farine animale ni médicament, gavées avec du maïs entier de qualité. Quoi de plus naturel que ces deux magnifiques produits de notre terroir se soient rencontrés pour créer un nouveau plaisir pour nos papilles ? De leur union est né Neige d'Or, un bloc de foie gras d'oie au cidre de glace. Le sucré délicat et parfumé du cidre de glace s'harmonise parfaitement avec le goût suave du foie gras. Un mariage parfait !

Mousses, confits, terrines...

Située à Saint-Gabriel-de-Brandon, la Ferme l'Oie d'Or est une jeune entreprise créée en 2001 qui est spécialisée dans l'élevage de l'oie gavée (700 têtes), de l'oie non gavée (1 500 têtes), de la pintade (35 000 têtes), du faisan (2 000 têtes) et du canard de Barbarie et mulard non gavé (5 000 têtes). On y trouve une cinquantaine de produits différents – mousses, terrines, rillettes, saucisses, confits, tourtières d'oie ou canard et plusieurs choix de plats cuisinés –, en plus de différentes découpes comme aiguillettes, magrets, etc. Le foie gras est offert préparé de diverses manières : entier et frais, en escalopes, cuit au torchon et en verrine… Et, bien sûr, notre chouchou : Neige d'Or !

Saint-Gabriel-de-Brandon ❖ www.fermeloiedor.com

Des fromages
au goût du Québec

On sait maintenant que les fromages québécois n'ont plus rien à envier aux fromages français, suisses ou italiens grâce à nos maîtres artisans fromagers, qui élaborent des merveilles à partir du lait des vaches, des chèvres et des brebis qui ont ruminé la bonne herbe de chez nous. Des saveurs uniques au monde !

Nos coups de ♥

Le Cap Rond

Le Cap rond est un fromage de chèvre cendré. Fabriqué à la main, il est moulé à la louche. Délicieux jeune ou vieilli, il possède une odeur de foin et de pomme et un goût de levure. La Ferme Tourilli a remporté le prix Renaud-Cyr en 2005 pour l'excellence de ses produits et est chevalier de l'Ordre national du mérite agricole depuis 2007.

Saint-Raymond, Portneuf
www.fermetourilli.com

32

Le Cendré des Prés

Le Domaine Féodal, une fromagerie artisanale du Centre du Québec, propose plusieurs fromages de lait de vache, dont notre préféré : le Cendré des Prés, un fromage à pâte molle. Une petite ligne noire renferme son secret : des cendres de bois d'érable, qui lui donnent sa saveur exceptionnelle.

Berthier
www.fromageriedomainefeodal.com

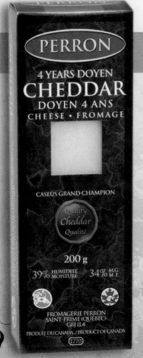

Le Cheddar Perron

Amateurs de cheddar devant l'éternel, nul besoin de vous rendre en Angleterre pour trouver la crème de la crème. D'ailleurs, la fromagerie Perron fabrique un cheddar d'une telle qualité que c'est chez nous que les British s'approvisionnent !

Saint-Prime
www.fromagerieperron.com

Le D'Iberville

La Fromagerie Au Gré des Champs, située en Montérégie, propose de merveilleux fromages de lait de vache cru certifiés bio. Le D'Iberville est un fromage à la pâte semi-ferme, au délicieux goût d'herbes et de fleurs. Le Gré des Champs, quant à lui, est un fromage à pâte ferme auquel le vieillissement donne une délicate saveur de noisette.

St-Jean-sur-Richelieu
www.augredeschamps.com

Le Douanier

Produit par la fromagerie Fritz Kaiser, située dans la vallée du Richelieu, le Douanier a été sacré Grand Champion lors de l'édition 2004 des Grands prix des fromages canadiens. C'est un fromage à pâte semi-ferme, et à la texture crémeuse et fondante, qui possède un morbier, cette ligne de cendre en son centre. On y dénote des saveurs de noisette et son goût devient plus prononcé avec la maturation.

Noyan
www.fkaiser.com

Le Kingsberg

Fromage à pâte ferme, le Kingsberg est un fromage emmental. Il a un délicat goût de noisette, et sa croûte est lisse et fine. Il a mérité le Grand Prix des fromages canadiens, dans la catégorie «fromages suisses» en 2004 et s'est classé 1er dans sa catégorie au British Empire Cheese Show 2006.

34

Warwick
www.duvillage1860.com

Le Migneron de Charlevoix

C'est dans la vallée de Baie-Saint-Paul que la fromagerie Maurice Dufour fabrique ses fromages : le Migneron de Charlevoix, un fromage de lait de vache pasteurisé à pâte semi-ferme et à croûte lavée, et, depuis 2000, le Ciel de Charlevoix, un fromage de lait entier de vache à pâte persillée. Le Migneron s'est vu couronné Champion croûte lavée ainsi que Grand Champion au Grand Prix des Fromages Canadiens en 2002.

Baie-Saint-Paul
www.fromagefin.com

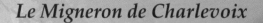

Le Paillasson

Le fromage de l'île d'Orléans est fabriqué depuis les débuts de la colonie par les habitants de l'île, ce qui en ferait le premier fromage d'Amérique du Nord ! L'entreprise Les Fromages de l'isle d'Orléans a relancé ce produit du terroir qui était disparu du marché depuis 40 ans. Il s'agit d'un fromage qu'on peut déguster sous trois formes : frais, la Faisselle, séché, le Paillasson et vieilli un mois, le Raffiné. Notre coup de cœur : le Paillasson grillé à la poêle, un délice fondant dont l'arôme envahit le nez et les papilles !

Sainte-Famille, île d'Orléans
www.fromagesdelisledorleans.com

Profession: fudgeron

La Fudgerie Les Mignardises Doucinet

Dans ses chaudrons, Jacques Thivierge concocte de nouvelles associations de saveurs au gré de son inspiration. Il se dit fudgeron, mais nous aimerions le qualifier d'artiste-fudgeron ! Sur sa palette : extraits purs d'herbes et de fruits provenant des quatre coins du monde. Sa toile : un fudge onctueux 100 % beurre de cacao. Le résultat : une œuvre riche et complexe. Ses créations ont pour noms fudge à la fraise et à la menthe poivrée, fudge noir au jalapeño, fudge au gingembre et au wasabi, fudge au marron vanillé, fudge à la sève de pin… Les saveurs sont riches, les combinaisons sont toujours raffinées, jamais tape-à-l'œil par désir de provocation. L'équilibre est toujours une perfection. Les ingrédients qu'il utilise et ses inspirations peuvent aussi bien être les dernières tendances internationales qu'une envie du moment.

Un lieu au charme unique

La Fudgerie les Mignardises Doucinet se trouve à Charlesbourg, dans une magnifique demeure datant du début du 17e siècle, construite dans le style colonial français. Au cours des années, des modifications ont été apportées, comme ce grand toit rouge, inspiré du style Second-Empire, qui la rend aujourd'hui impossible à rater. L'été, une terrasse sous les érables accueille les gourmands pour un bol de chocolat chaud au piment ou pour un Fudg'Occino, café dessert au fudge. La boutique recèle mille et une mignardises : mendiants, écorces aux amandes, tablettes de chocolat… De quoi faire plaisir aux amateurs de douceurs les plus exigeants !

Québec ❖ www.lafudgerie.com

Directement de la forêt boréale

La gelée de cèdre Ungava Gourmande

L'été, Valérie Laprise, la propriétaire de la petite entreprise familiale Ungava Gourmande, se promène dans la forêt boréale à la recherche de fruits et de plantes sauvages. Cèdre, thé, atocas… elle les choisit méticuleusement et les cueille à la main. Parfois, même, c'est en canot qu'elle se déplace, afin d'atteindre les endroits reculés, là où pousse le fruit ou la plante qui la satisfait. C'est que les produits doivent être de toute première qualité pour aboutir sur ses fourneaux. L'hiver, cette passionnée les transforme en gelées, sirops et coulis.

Nouveaux mariages de saveurs

Pour une expérience gustative nouvelle, essayez la gelée de cèdre sauvage. D'abord, on est intrigué, puis surpris, et enfin charmé. Des notes fraîches de sapin qui évoquent le boisé humide. Un délicat sucré qui accommode autant le cerf que la dorade. Une charmante découverte! Ungava Gourmande propose également une gelée de thé du Labrador sauvage, un sirop de petit thé sauvage ainsi qu'un coulis d'atocas sauvages et de vin rouge. Ce dernier produit est d'ailleurs la star de l'entreprise puisqu'il a été choisi par Serge Caplette, chef exécutif au Hilton Bonaventure de Montréal, pour l'accompagner aux Olympiades gastronomiques de Berlin 2008. Une petite entreprise familiale qui a décidément un grand avenir devant elle!

Chibougamau   ❖   www.ungavagourmande.icr.qc.ca

Plaisir des sens

Les jarres de miel Nect'art de fleurs

Nect'art de fleurs, c'est une jolie ferme en bois, une maison centenaire et un jardin. Un jardin qui séduit d'emblée. Des fleurs, des fleurs et encore des fleurs! De toutes les couleurs, de toutes les formes. Un lieu enchanteur, pour une promenade, pour le bonheur des yeux et des narines. Et tout autour, un léger bourdonnement : les abeilles, les maîtres de l'endroit. C'est pour elles que ce petit royaume a été mis sur pied. Fondée en 1998 par Isabelle Lajeunesse, l'entreprise Nect'art de fleurs conjugue deux grands plaisirs : la gourmandise et l'art. En effet, le miel est embouteillé dans des jarres peintes à la main par des artistes québécois. Doucement givrés, les pots de miel sont délicatement décorés : ruches, fleurs, coqs, poules, légumes, feuilles… c'est la nature qui apporte l'inspiration aux artistes. Un joli cadeau à offrir … ou un plaisir à garder pour soi!

Un site enchanteur

Nect'art de fleurs propose une jolie boutique où l'on trouve une panoplie de produits à base de miel : vinaigrettes, moutarde, gelées, confitures, bonbons, «caramielleux» et «chocomielleux», thé et café au miel ou au sirop d'érable, amandes enrobées de miel, etc. Et, toujours, les produits sont présentés dans de jolis pots peints à la main. De plus, pour terminer votre visite en beauté, vous pouvez faire un tour au mini-centre d'interprétation de l'abeille. Vous y apprendrez tout sur la fabrication du miel, cet aliment énergétique et délicieux.

Saint-Ambroise ❖ www.nectartdefleurs.com

Le paradis sur terre

Les glaces et sorbets Havre-aux-glaces

Amoureux de glaces et de sorbets, vous avez trouvé votre paradis. Direction marché Jean-Talon. Notre conseil : passez-y deux fois. Une première fois dès votre arrivée, pour accrocher un sourire sur votre visage tout au long de votre magasinage. Puis, à la fin de vos emplettes, pour acheter un pot que vous ramènerez à la maison. Si vous ne connaissez pas encore, ne frustrez pas vos papilles plus longtemps, courez-y : la boutique est ouverte à l'année. Les glaces sont onctueuses, riches, savoureuses… Comment décrire l'expérience ? C'est un peu comme si vous croquiez dans un fruit, puis que vous le laissiez fondre sur votre langue pendant que son parfum envahit vos narines… Votre palais vous en sera redevable pour toujours. Mais attention ! Ces glaces créent une dépendance ! Maintenant que vous voilà avertis, plongez.

L'aventurier des glaces

L'homme derrière tant de plaisir, c'est Robert Lachapelle. Et l'événement derrière le Havre-aux-glaces, l'élément déclencheur, c'est un voyage en voilier autour du monde qu'il fit avec sa femme et ses deux fils, et lors duquel les fruits exotiques et les glaces qu'il dégusta en Amérique centrale lui donnèrent l'idée de mettre sur pied un bar laitier à son retour au pays. L'homme, toujours avide de nouvelles expériences – autant personnelles que gustatives –, est un aventurier. C'est ainsi qu'il nous propose de le suivre dans ses découvertes. Une glace aux pleurotes, qu'est-ce que vous en dites ? Eh bien, c'est merveilleux. Dans la bûche de Noël au caramel brûlé d'érable – divin –, cette glace étrange surprend (des champignons dans une bûche de Noël?), mais on se surprend aussi à en rede-mander! Mais peut-être n'êtes-vous pas prêt pour des voyages extrêmes. Qu'à cela ne tienne, la vanille de Tahiti, le chocolat noir ou l'orange sanguine de Sicile exalteront vos papilles. Le secret de ces sublimes glaces et sorbets? Le respect de la matière première. Pas trop sucré, pas trop gras, le fruit prend toute la place. Voilà pourquoi les saveurs suivent les saisons. Les sorbets à la clémentine, à la tangerine de miel et à la pomme de glace, c'est l'hiver. Les melons et le cassis, c'est l'été. Quelques inspirations : cidre de glace, menthe chocolat, fraises de l'île d'Orléans, chai, cardamome, citrouille, dulce de leche, fraise et fromage… et la prochaine expérience du proprio !

Montréal

Entre art et gastronomie

Les moulages en chocolat
Rolland Chocolatier

Vous êtes un fan de chocolat et vous pensez avoir tout vu et tout goûté ? Vous croyez que plus rien ne peut vous étonner ? Eh bien, gageons que le talent inouï de Christophe Morel, maître chocolatier, parviendra à vous surprendre. Cet artiste crée des sculptures de chocolat comme d'autres créent des sculptures de bronze ! En plus de ses petites pièces (pères Noël, sapins, lapins, etc. – réalisés avec minutie et maîtrise –), l'expert est capable de vous en mettre plein la vue. Son portfolio est impressionnant. Par exemple, à l'émission de télé *On n'a pas toute la soirée*, il a présenté une statue en chocolat grandeur nature de l'animateur Éric Salvail. Vous savez maintenant quoi demander pour votre prochain anniversaire ! Tous les moulages sont confectionnés avec le meilleur chocolat et les couleurs – impressionnantes ! – sont faites de beurre de cacao teint de colorant alimentaire. Pour la Saint-Valentin, le bouquet de roses rouges en chocolat noir (on jurerait des vraies !) ouvrira la porte de tous les cœurs...

Profession : maître chocolatier

Christophe Morel, maître chocolatier chez Rolland Chocolatier, a fait sa marque sur la scène internationale. Né en France, c'est dans une famille de pâtissiers que le petit Christophe développe son talent. Aujourd'hui établi au Québec, il participe à de nombreux événements internationaux, lors desquels il remporte de nombreux prix : trophée canadien de la chocolaterie 2003, Prix Chocolat Coupe du Monde, Lyon, 2005, finaliste au World Chocolate Master, Paris 2005. Lors de cet événement, Christophe Morel a su montrer son amour pour sa patrie d'adoption en choisissant comme thème une légende amérindienne, la légende de l'ours, dans laquelle des animaux se métamorphosent en êtres humains pour enseigner l'amour et le respect de la nature. Ce thème lui a permis de créer des œuvres remarquables, qui ont fait de lui le 4e chocolatier du monde !

Boucherville   ❖   www.rollandchocolatier.com

Un condiment magique

La moutarde à l'érable Cumberland

Quand on la découvre, on l'utilise à presque toutes les sauces. La moutarde à l'érable ajoute une pointe de douceur aux vinaigrettes, rehausse le goût des viandes et même des poissons. Fabriquée à partir de sirop d'érable pur, d'eau, de vinaigre, de graines de moutarde, de moutarde sèche, de sel et d'épices, elle ne contient aucun agent de conservation chimique. Pour renouer avec les goûts et les recettes de notre terroir !

Directement du royaume de l'érable

Ce sont des territoires beaucerons, bien connus pour leurs érablières, que nous viennent les produits acéricoles Cumberland. L'entreprise se veut une héritière du patrimoine légué par ses ancêtres beaucerons, d'où le choix de son nom, en l'honneur du fief de Cumberland, issu du morcellement d'une seigneurie à l'origine de la Beauce, la seigneurie Gabriel Aubin de l'Isle, et colonisée au 19ᵉ siècle par les Français, les Anglais et les Irlandais.

Des mariages aussi étonnants que délicieux

Cette entreprise québécoise a eu le flair de marier la douceur du sirop d'érable à toutes sortes de condiments… Ainsi, elle nous propose aussi le poivre noir à l'érable, la gelée pimento à l'érable, la sauce barbecue à l'érable, la vinaigrette à l'érable, le pâté et la mousse de canard à l'érable, entre plusieurs autres.

La Guadeloupe ❖ www.cumberlandinc.com

Comme autrefois

La boulangerie artisanale Niemand

À Kamouraska, c'est dans une superbe maison de style victorien, datant de 1900, que l'on va chercher son pain. À la Boulangerie Niemand, on se croirait revenu au début du siècle dernier. L'endroit est magnifique, avec sa vue sur le fleuve, son immense galerie et ses balustres, et les pains y sont fabriqués comme autrefois : grains sans pesticides, issus de l'agriculture biologique (même si le terme est neuf, le concept, lui, est ancien!), farine intégrale moulue sur pierre et sur place selon la tradition, pains cuits sur la sole. On sent le savoir-faire de l'artisan boulanger.

Mission : santé et plaisir

En entrant dans la belle boulangerie que Denise Pelletier et Jochen Niemand ont créée en 1995, on est immédiatement séduit. D'abord, par l'odeur. Y a-t-il une odeur plus merveilleuse que celle du pain qui vient tout juste de sortir du four? Ensuite, par la variété impressionnante des produits, qui allient saveurs locales et tradition européenne (Jochen a appris son métier à Hagen, en Allemagne, avec un père boulanger et un grand-père meunier). Des pains de toutes sortes, de tous grains : au levain, de blé entier, de seigle, d'épeautre, aux graines de sésame, de tournesol, de citrouille, aux olives kalamata, aux tomates séchées… Des viennoiseries variées : tresses briochées, sablés pur beurre, biscotti… La Boulangerie Niemand est associée à La Camarine, une coopérative verte située à l'ouest du village, où le passant peut déguster des spécialités à base de pain Niemand, des sandwiches, des crêpes, des terrines, des salades, des breuvages santé, des conserves et plusieurs autres gourmandises. Une visite incontournable si vous passez dans ce coin de pays!

Kamouraska
www.kamouraska.ca/autres/membres/boulangerie.htm

Douce fantaisie

Les pâtes d'amandes Confiserie Banana

Manger un animal en pâte d'amandes, c'est retomber en enfance. Bien souvent, quand on se laisse tenter par un mignon petit chat dans la vitrine d'un pâtissier, on déchante dès la première bouchée : si nos yeux sont comblés, nos papilles, elles, sont déçues… Les confiseries Banana sont différentes : non seulement elles sont jolies (très jolies, même!), mais elles sont absolument délicieuses! La pâte d'amandes dont se sert l'entreprise de Québec, qui compte une vingtaine d'années d'existence, est importée de Belgique ; elle est onctueuse et savoureuse. Ses couleurs vives sont appétissantes et sa texture parfaitement satinée dénote une grande qualité.

Un modelage parfait

Oubliez les décos façon kitsch. Les pâtes d'amandes de Banana ont un design résolument contemporain. Façonnées à la main, toutes ont des détails qui font craquer : le petit air coquin du pingouin, la délicate neige sur les branches du sapin de Noël… Banana propose des figurines pour toutes les occasions : fête des mères, Halloween, Pâques… Les roses rouges de la Saint-Valentin ont des pétales délicatement ouverts et enflammeront à coup sûr tous les cœurs! Quand le sujet le réclame, des détails en pastillage complètent le modelage en pâte d'amandes. Les enfants adoreront les animaux de la collection régulière : pieuvres, cigales, singes, lions, crocodiles… Pour redécouvrir les plaisirs gourmands de l'enfance.

Brébeuf ❖ www.confiseriebanana.com

Nec plus ultra des canards

Canards du Lac Brome

Les canards du Lac Brome sont connus dans le monde entier. Leur chair est fine, savoureuse et plus faible en gras que celle d'autres espèces. L'histoire de ce palmipède en sol québécois remonte au début du 20e siècle, quand un New-yorkais décide d'importer le canard de Pékin dans les Cantons-de-l'Est, sur les rives du Lac Brome. L'entreprise grandit année après année et, ainsi, des 25 000 canards de ses débuts, elle est passée aujourd'hui à une production annuelle de plus de 2 millions de têtes ! Le canard du Lac Brome est dodu, mais il est important de noter qu'il est engraissé naturellement, grâce à une alimentation à base de céréales et de soja enrichie en minéraux et en vitamines. Canards du Lac Brome propose plusieurs produits. Notre coup de cœur : les pâtés en verrine. On les trouve dans différentes saveurs, comme le pâté de foie à la liqueur d'orange, le pâté de foie au porto, le pâté de foie du Périgord, les rillettes des cantons et les rillettes de canard authentiques.

Bon au goût et pour la santé

La première raison pour mettre le canard à son menu : son goût incomparable, bien sûr. Canards du Lac Brome propose plusieurs recettes sur son site. Pour vous mettre l'eau à la bouche : rouleaux croquants au confit de canard (des morceaux de confit et de mangue assaisonnés de ciboulette et d'échalote grise dans un rouleau de pâte filo… un délice léger et croustillant!), poitrines de canard farcies au magret fumé et au fromage Mont-Saint-Benoît (de chic petits rouleaux à servir pour impressionner les plus fins gourmets!), et aussi les classiques canard rôti et cuisses de canard en croûte de sel. Après le goût, les raisons nutritionnelles. Les bienfaits de la viande de canard sont multiples. La chair et la graisse sont riches en acides gras monoinsaturés, ce qui contribuerait à prévenir les troubles cardiovasculaires et le diabète. Plusieurs études ont montré qu'une alimentation riche en gras monoinsaturés améliore le profil lipidique en diminuant les concentrations sanguines de cholestérol total et de triglycérides. De plus, le canard est une excellente source de fer, de phosphore, de vitamines B2, B3 et B5. Que demander de plus?

Knowlton ❖ www.canardsdulacbrome.com

La perle rare

Les perles d'érable^{MC} Morin-Daniak chocolatiers

C'est une chance qu'après plusieurs années d'expérience dans le domaine de la restauration, Gilles Morin et Nancy Daniak aient décidé de devenir chocolatiers! Avides de marier de nouvelles textures et de créer de nouvelles combinaisons de saveurs, ils expérimentent des alliages nouveaux. Grâce à leur sens artistique et à leur goût pour les saveurs fines, ils inventent un délice pur et absolument québécois : la perle d'érable^{MC}.

Une expérience unique

Qu'est-ce que la perle d'érable^{MC}? Une gourmandise délectable, sublime, grandiose. Absolument ronde, elle est petite en taille, mais pas en saveurs! La première couche est faite de sucre d'érable. En bouche, le parfum de l'érable a tôt fait d'envahir nos papilles… La texture granuleuse fond pour laisser la place à un velouté onctueux : une couche de chocolat blanc, fin et doux. Puis, c'est l'apogée, le moment de l'explosion. La couche de chocolat blanc se rompt, soit parce qu'on l'a laissée fondre, soit parce que, impatient, on l'a croquée… Du sucre d'érable se répand sur la langue, l'inondant de bonheur. Une expérience unique… qu'on ne peut s'empêcher de renouveler!

Lac Beauport ❖ www.morin-daniak.com

Un site coup de cœur

Domaine Steinbach

Si vous faites un tour du côté de l'île d'Orléans, ne manquez pas le Domaine Steinbach. Entre autres, pour leur superbe terrasse, depuis laquelle la vue est saisissante. Devant nous s'étend le verger du Domaine, puis le fleuve, et l'on aperçoit même, au loin, les Laurentides! Un paysage à admirer en dégustant une assiette de terrine d'oie, de pâté de canard ou tout autre produit fin du terroir que propose le Domaine. Mais on vient ici aussi pour la boutique, où l'on trouve plus de 30 produits fermiers. Avec les pommes du verger, cultivées de manière biologique, les proprios fabriquent de magnifiques cidres et vinaigres de cidre et des gelées. Et, pour compléter cette expérience gustative divine, le Domaine propose une ambiance Nouvelle-France. Personnages en costumes vous feront découvrir, au centre d'interprétation, les activités du Domaine. Pour les groupes, des dégustations champêtres sont également organisées, toujours dans cette ambiance d'autrefois.

Un rêve devenu réalité

Le Domaine Steinbach, c'est le rêve devenu réalité pour deux Belges, Philippe et Claire Steinbach. À 40 ans, ils décident de changer de vie : ils vendent tous leurs biens et partent en année sabbatique. Un voyage qui les emmènera jusqu'au Québec, où ils tombent amoureux de l'île d'Orléans. C'est là qu'ils décident de vivre leur nouvelle vie. Et c'est là que naît l'entreprise agrotouristique Le Domaine Steinbach… pour notre plus grand plaisir ! Pour vous inspirer, mais aussi pour connaître les écueils et les bonheurs qui ont jonché leur périple, lisez leurs aventures, qu'ils racontent dans deux livres intitulés *L'Année sabbatique… au féminin* et *L'Année sabbatique… au masculin*, signés respectivement par elle et par lui. Pour rêver à votre tour !

Saint-Pierre de l'île d'Orléans ❖ www.domainesteinbach.com

Des sorbets à croquer !

Solo Fruit de Caribbean Juice

Les sorbets artisanaux 100 % naturels de cette jeune entreprise montréalaise sont tout simplement… fruités ! Mangue, poire, canneberges, guanabana, mûres des Andes, noix de coco (pour ne citer que quelques-unes des 14 saveurs proposées) explosent sur la langue. C'est littéralement comme si l'on croquait dans des fruits car ils contiennent jusqu'à 80 % de pulpe et un sirop très léger. L'entreprise offre également des sorbets sans sucre ajouté, qui contiennent du jus de pomme ou de raisin comme édulcorant.

Équitables et biologiques

Les sorbets Solo Fruit ne contiennent aucun arôme, colorant ou agent de conservation artificiels. Les fruits utilisés par Caribbean juice proviennent directement de petits agriculteurs implantés dans des régions abandonnées de la cordillère des Andes, à qui l'on assure l'achat des récoltes sur plusieurs années et qui cultivent des fruits sans OGM. L'entreprise a entrepris les démarches afin de faire accréditer leurs produits «équitables» et «biologiques».

À chaque saison ses saveurs

En plus des saveurs de sorbets – avec et sans sucre – offertes toute l'année, Solo Fruit propose des produits saisonniers. Ainsi, l'été, c'est le temps des sorbets alcoolisés. On peut déguster un sorbet piña colada, daiquiri à la fraise, poire-calvados ou griottes-kirsch et s'imaginer sur une plage ensoleillée… En hiver, ce sont les mariages de saveurs qui sont à l'honneur : la mangue est unie au poivre rose, l'abricot au thé vert et le citron au basilic. De quoi nous faire comprendre qu'il n'y a aucune raison d'attendre la belle saison pour déguster des plaisirs glacés : c'est au coin du feu que l'on s'en délectera !

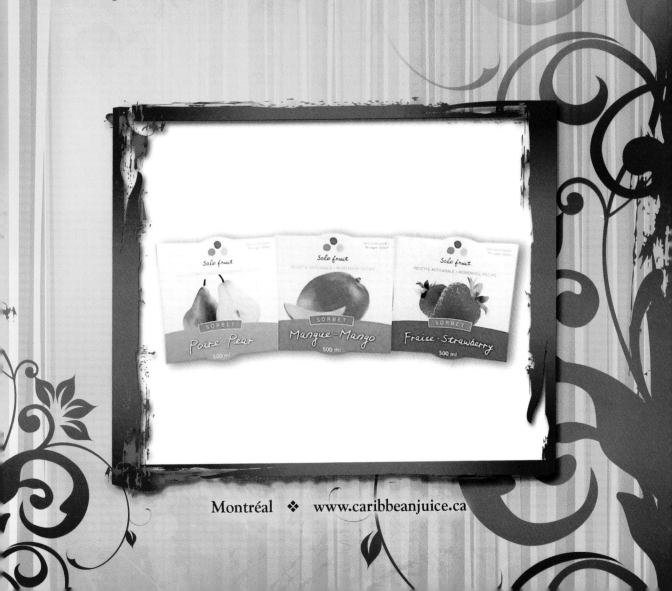

Montréal ❖ www.caribbeanjuice.ca

Se sucrer le bec !

Le sucre à la crème Tradition Ste-Julie

C'est bon, c'est riche, ça fond sur la langue et ça nous rappelle notre enfance… Le sucre à la crème est l'une des spécialités québécoises traditionnelles dont on ne saurait se passer. Chaque famille a sa recette (la meilleure du monde, bien entendu !), transmise de génération en génération.

La recette de papa

Ce fut d'ailleurs pour prouver que la recette de son père était vraiment la meilleure du monde que Francine Nantel fonda son entreprise. En 1979, alors qu'elle tenait une tabagie avec son mari, Claude, elle goûta au sucre à la crème livré par son fournisseur de bonbons… Rien à voir avec le merveilleux sucre de son enfance ! Dès le lendemain, elle ressortit la fameuse recette et se mit à vendre le sucre à la crème de son papa dans sa boutique. Le succès fut immédiat. Tellement que son fournisseur proposa de le lui acheter et de le distribuer. Presque 30 ans plus tard, l'entreprise est toujours une entreprise familiale – ce sont les fils de Francine et Claude, Éric et Jean-François, qui en tiennent aujourd'hui les rênes. En revanche, ce n'est plus dans la cuisine d'un petit 4 et demi, mais dans un grand bâtiment de plus de 8000 pieds carrés qu'est produit ce délice.

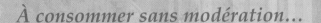

À consommer sans modération…

Oublions les calories et concentrons-nous sur les aspects qui chasseront nos dernières hésitations devant un deuxième morceau : le sucre à la crème fabriqué par Gourmet Nantel ne contient aucun gras trans, qu'une faible quantité de gras saturés et de cholestérol et il est une source de vitamine A. Alors, jetons-nous également sans complexe sur le sucre à la crème aux noix, sur celui à l'érable, sur le fudge nature et sur le fudge aux noix !

Sainte-Julie ❖ www.gourmetnantel.com

Tartinades en tube

La collection Gouash de La Tomate

On dirait un tube de peinture. Mais une peinture très particulière puisqu'on l'étend sur une tranche de pain, sur un yogourt, sur de la crème glacée… C'est qu'il s'agit d'une tartinade originale créée par l'entreprise La Tomate. Les Gouash existent dans plusieurs saveurs : bleuet, cerise, fraise, framboise ou pomme. Et toutes contiennent de la tomate ! Les enfants – et leurs parents ! – pressent le tube pour donner un sourire à leur toast au petit déjeuner ou pour faire un joli dessin sur leur yogourt. Ce format amusant et original leur donnera envie d'en manger tous les jours… et comme c'est bon pour la santé, pourquoi pas ! Pas de colorant, pas d'agent de conservation, les produits Gouash sont faits avec de vrais fruits.

Un produit avec une conscience

La collection Gouash a été créée spécialement pour le Club des petits déjeuners du Québec par l'entreprise La Tomate, qui verse une partie de ses profits à l'association. Le Club des petits déjeuners, c'est 500 bénévoles qui servent plus de 2 millions de petits déjeuners par année gratuitement dans près de 200 écoles au Québec. Pour que les enfants défavorisés commencent leur journée le ventre plein et le cerveau prêt à apprendre.

Chutneys, salsas, etc.

En plus de ses tartinades aux fruits, La Tomate produit toutes sortes d'autres produits à base de tomate. Déclinaisons audacieuses ou classiques, on aime particulièrement la gelée de tomate et poivron piquante, la gelée vendange tardive et tomate et la sauce tomate et mangue… mais on craque aussi pour leurs chutneys, chilis, salsas et autres sauces! Et, on le sait, la tomate possède une kyrielle de vertus : hypocalorique, riche en minéraux, en vitamines C, A et E, et en oligoéléments, elle est un antioxydant, et elle protègerait contre les cancers du système digestif et de la prostate. Au fait, la tomate est-elle un fruit ou un légume? On a maintenant la preuve indubitable qu'elle est les deux!

Montréal ❖ www.gouash.com/www.tomateonline.com

Une viande de gastronomes

Le Cerf de Boileau des Fermes Harpur
La Maison du Chevreuil

Saviez-vous que la viande de cerf est excellente pour la santé ? Elle contient une haute teneur de protéines et de fer, de vitamines B12, B2, B3 et B6, et elle plus faible en gras saturés et en calories que le bœuf, par exemple. Et le nec plus ultra en matière de viande de cerf, c'est le Cerf de Boileau des Fermes Harpur. Les techniques d'élevage fortes de 10 ans d'expérience font de cet élevage de cerfs rouges le plus important en Amérique du Nord : 1000 acres de terrain, pour 2500 animaux.

L'inspiration des grands chefs

La viande de cerf est une des plus goûteuses. Elle inspire d'ailleurs aux plus grands chefs de petites merveilles. Pas étonnant que des restaurants aussi réputés que Toqué !, Au Pied de cochon, L'Eau à la bouche et Laurie Raphaël s'approvisionnent à la Maison du Chevreuil. Si vous n'avez jamais cuisiné de cerf et que vous avez besoin d'inspiration, pas de problème : le site Internet de l'entreprise propose des recettes appétissantes. Salaison de jarret de cerf et condiment de raisin à l'écorce d'orange, Longe de cerf, sauce au vin rouge aux baies de poivre et de genièvre, purée de topinambour, Côtes de cerf, risotto d'orge perlé au thym, os à la moelle rôti... À vos fourneaux !

Comment se le procurer ?

Le Cerf de Boileau est livré partout au Québec et en Ontario. Vous allez sur le site choisir les morceaux qui vous intéressent – carré, filet, longe, tournedos, osso bucco, cubes à brochette ou à mijoter, saucisses, steak ou steak haché… –, vous les achetez en ligne et on vous les livre (emballés sous vide) par autobus. Il ne vous reste plus qu'à aller chercher votre commande à la station la plus proche de chez vous ou encore chez l'un de leurs distributeurs : il y en a un dans le Vieux-Montréal et l'autre à Saint-André-Avellin.

Pointe-aux-Chênes ❖ www.cerfdeboileau.com

..... *Alcool*

Prendre un p'tit coup...

L'homme doit au vin le fait d'être le seul animal à boire sans soif.

(Pline l'Ancien)

Les esprits s'envolent !

L'alcool d'érable la Gélinotte d'Intermiel

Voici une Gélinotte qui n'est pas un oiseau, mais qui vous donnera envie de chanter ! Pour clore un bon repas, nous vous proposons un digestif original et bien de chez nous : la Gélinotte. Il s'agit d'un alcool d'érable, fabriqué à partir de sève d'érable concentrée, de vin d'érable et d'eau de vie d'érable. Qu'est-ce que le vin d'érable ? C'est une boisson qui contient de 8 % à 12 % d'alcool, obtenue par fermentation d'un moût de sève d'érable. Quant à l'eau de vie d'érable, elle est fabriquée par la distillation de ce « vin » d'érable et atteint de 60 % à 90 % d'alcool. Chaque ingrédient ajoute des saveurs qui se superposent pour créer une boisson complexe et subtile. La Gélinotte se déguste chambrée ou glacée. On peut l'ajouter à la crème glacée, en mettre une goutte (ou deux !) dans un café… ou s'en servir pour cuisiner, comme alcool à flamber, par exemple. Le site Web de l'entreprise vous fera découvrir de délicieuses recettes.

Un lieu de plaisir

Intermiel offre des visites guidées à l'année pour petits et grands ! Aire de pique-nique, aire de jeux et mini-ferme où l'on peut caresser de charmants animaux… sans oublier la boutique, où l'on peut se procurer les nombreux produits de l'entreprise. Car, en plus de la Gélinotte, Intermiel fabrique d'autres produits à base d'érable ainsi que des produits à base de miel (hydromel, produits de beauté, miels de toutes sortes). Pour une journée sucrée !

Mirabel Saint-Benoît • www.intermiel.com

Merveille des Îles ...

La bagosse du Barbocheux

Le nouveau nectar à la mode provient directement des Îles-de-la-Madeleine : la bagosse du Barbocheux. «Mais qu'est-ce c'est?», vous écrierez-vous. Mais, voyons, c'est l'alcool qui devrait couler dans tout cocktail branché!... La bagosse des Îles, c'est spécial. On l'appelle aussi «bière des Îles», bien qu'il s'agisse en fait d'un vin de petits fruits qui accompagne à merveille foie gras et fromages, et qu'on sert en apéro ou en digestif. Fabriquée de manière artisanale par Sylvie et Léonce du Barbocheux à partir de leurs framboises, fraises, canneberges, fleurs de pissenlit, bleuets ou airelles sauvages, la bagosse est typique des Îles-de-la-Madeleine. Autrefois, c'était d'ailleurs le seul alcool sur les Îles, à cause de leur isolement. Chaque famille possédait sa propre recette — toujours la meilleure, il va sans dire.

Barbochez d'la bagosse!

En plus de la bagosse, le Barbocheux fabrique de manière artisanale un alcool de type porto, le Châlin (un vieux mot des Îles qui signifie «éclair de chaleur»), et une liqueur de framboise, l'Ariel. Barbocher, dans la langue des Madelinots, c'est aller prendre un p'tit verre de maison en maison. Bonne idée! Sur chaque bouteille, on peut lire une amusante devise, qu'on a envie d'adopter : «Celui qui boit de la bagosse se saoule. Celui qui se saoule dort. Celui qui dort ne fait pas de péchés. Celui qui ne fait pas de péché va au ciel. Alors si tu veux aller au ciel, bois d'la bagosse.»

Havre-aux-Maisons • www.bagossedesiles.com

Haut de gamme artisanal

La bière Boréale des Brasseurs du Nord

En 1987, Laura Urtnowski, Bernard Morin et Jean Morin, trois étudiants dans la vingtaine, trois amateurs de bière devant l'éternel ayant expérimenté avec succès plusieurs recettes maison, se disent que ce serait une bonne idée d'en faire profiter tous les Québécois. C'est ainsi qu'ils décident de fonder une micro-brasserie, dans les Basses-Laurentides. La Boréale était née! Aujourd'hui les Brasseurs du Nord est une des plus importantes microbrasseries du Québec. Mais, même si l'entreprise compte maintenant 90 employés et produit l'équivalent de 850 000 caisses de 24 par année, elle tient à conserver une approche artisanale et elle crée des bières à partir d'ingrédients naturels de première qualité, afin d'offrir un produit haut de gamme.

Noire et chocolat

Les Brasseurs du Nord proposent six bières pur malt. On retrouve en fût et en bouteille la Boréale blanche, la Boréale blonde, la Boréale dorée, la Boréale cuivrée, la Boréale rousse et la Boréale noire. Si vous voulez vous régaler, essayez la noire avec un fondant au chocolat bien riche et onctueux… Les arômes de café et de réglisse de cette bière de type stout s'harmonisent à merveille à la richesse du chocolat noir. Elle se sert légèrement chambrée pour faire ressortir sa douce amertume. Il s'agit d'une bière racée, pénétrante, qui a remporté le Grand Prix catégorie platine au Mondial de la bière 2006. À la bonne vôtre!

Blainville • www.boreale.qc.ca

Une bière de glace

La Eisbock de la Micro-Brasserie L'Alchimiste

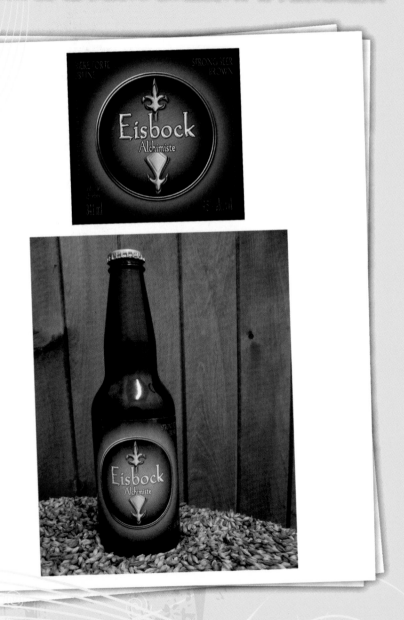

Amateurs de découvertes gustatives, précipitez-vous sur la bière Eisbock, de l'Alchimiste. Unique en son genre, elle est la première bière de glace au Québec. Après le vin de glace, le cidre de glace, c'est maintenant au tour de la bière de tirer profit de cette spécialité bien québécoise qu'est… le froid! La Congelator Eisbock est obtenue par le brassage d'une dopplebock. La bière fermente pendant un mois, puis elle est congelée. Résultat : l'alcool est distillé par le gel. Le taux d'alcool grimpe ainsi à 9,5 %.

Un goût à découvrir

La Eisbock possède un taux d'alcool élevé, mais, rassurez-vous, elle n'a pas un goût d'alcool trop prononcé. C'est plutôt le goût de malt qui se développe avec le procédé de fabrication, ce qui lui donne une rondeur et une douceur en bouche. Elle possède même un côté liquoreux. Une bière complexe, donc, qui surprend et qui plaira aux amateurs de découvertes.

L'Alchimiste

La Micro-Brasserie l'Alchimiste est située au cœur de Lanaudière, on y brasse quatre bières inspirées des styles allemand et anglais, L'Alchimiste Claire (blonde), La Bock de Joliette (ambrée maltée), L'Écossaise (brune caramélisée) et la India Pale Ale (rousse) ainsi que des bières spéciales, soit la Weizen, une blanche de blé, l'Amère noire, une stout, et, bien sûr, la Eisbock. Vous ne passez jamais par Joliette? Pas de problème puisque les bières de l'Alchimiste sont maintenant embouteillées et distribuées dans des épiceries et des supermarchés, et qu'on les sert dans certains restos-bars un peu partout au Québec.

Joliette • www.lalchimiste.ca

Divin nectar

La bière Le Sang d'encre du Trou du diable

Au départ, il y a l'amour de la bière. Des bières uniques, brassées sur place avec savoir-faire par les cinq cofondateurs de la coopérative et devant public (eh oui, on peut les voir en pleine action et on peut même leur poser toutes nos questions!) ont fait la renommée de l'endroit. Huit bières sont proposées en tout temps, différentes selon les saisons et l'humeur du brasseur. Certaines sont accessibles aux buveurs du dimanche, d'autres satisfont les papilles les plus exigeantes. Notre coup de cœur : Le Sang d'encre, un crémeux stout. Une merveille d'équilibre. Noire, comme son nom le laisse présager, elle a des arômes de café et de chocolat. Son amertume est adoucie par une petite note sucrée en fin de bouche. Crémeuse, sa mousse est riche et d'une belle couleur moka. Une bière typée qui plaira aux connaisseurs, mais aussi aux néophytes qui savent apprécier la nouveauté. Le Sang d'encre a gagné une médaille d'or au Mondial de la bière 2007.

Plongez dans le Trou !

Le Trou du Diable, c'est plus qu'une brasserie, c'est un univers. On y déguste des bières, on y mange, on y voit des spectacles, des expos, on y assiste à des lancements de livres, à des soupers bénéfice, à des soirées philo (baptisées avec humour «bières philosophales»)… On peut même y participer à une des nombreuses activités qui y sont organisées par les proprios: journée de paintball, beach party, concours de photos… Bref, le Trou du Diable est en voie de devenir une institution à Shawinigan !

Shawinigan • www.troududiable.com

Quand le froid
réchauffe les esprits

Le cidre de glace Domaine Pinnacle

Le cidre de glace est aujourd'hui un véritable must. Son goût moelleux et sa couleur ambrée réchauffent l'atmosphère et les esprits. On le sert en apéro ou avec le dessert, et même comme digestif. Il accompagne aussi merveilleusement foie gras ou fromages. C'est un produit authentiquement québécois, qui allie deux de nos spécialités : les pommes… et le froid ! En effet, le cidre de glace est un alcool liquoreux obtenu par la fermentation naturelle du jus de pommes gelées. C'est le froid intense des hivers québécois qui concentre le sucre contenu dans le fruit. Pour notre plus grand plaisir.

Une cidrerie digne de mention

Le Domaine Pinnacle est un endroit charmant à visiter : un verger, une cidrerie, un centre d'interprétation et une boutique, dans une magnifique ferme datant de 1859, sur le flanc du mont Pinnacle, dans les Cantons-de-l'Est. Cette entreprise familiale propose plusieurs excellents produits, lauréats de nombreux prix internationaux. Le cidre de glace Domaine Pinnacle, équilibré, frais et doux, possède des arômes complexes grâce aux six variétés de pommes qui entrent dans sa composition. Le Cidre de glace Signature Réserve Spéciale, offert en quantité limitée, est un cidre exceptionnel. Plus de cent pommes sont utilisées pour une seule bouteille, dont certaines variétés rares. Chaque bouteille est signée et numérotée. Le Domaine propose également un cidre de glace pétillant et une crème de pommes entièrement naturelle, qui est un mélange de crème fraîche, de cidre de glace et d'eau-de-vie de pommes. Un délice dans le café ou sur une crème glacée à la vanille !

Trinquez avec style !

Le cidre de glace La Face Cachée de la Pomme

La cidrerie artisanale La Face Cachée de la Pomme propose plusieurs variations sur le thème, couronnées de nombreux prix internationaux et exportées dans une quinzaine de pays. Neige est un cidre élaboré à partir de pommes récoltées à l'automne et gardées au froid jusqu'au pressage, avant Noël. Le jus récolté est alors soumis aux températures hivernales pendant 6 semaines. Neige éternelle est la cuvée « réserve » de la maison. Dégel est un cidre sec, frais et fruité, qui rappelle le vin blanc ; Bulle no 1 est un cidre effervescent.

À boire et à voir

Quant au grandiose Frimas, c'est sur l'arbre que les pommes subissent les assauts du temps froid. Elles sont récoltées au mois de janvier. On peut alors visiter le verger et les installations, signées par l'architecte Giovanni Diodati et par le designer Alain Desgagné, un alliage de matériaux contemporains et de matériaux de la maison d'origine, dans un site enchanteur. Et, bien sûr, la visite est suivie d'une délicieuse dégustation.

Nectar des dieux

L'hydromel du Petit jardin de l'abeille

On dit que l'hydromel serait la plus ancienne boisson alcoolisée du monde. Aristote en fait mention dans un écrit daté de 350 avant Jésus-Christ et l'on a retrouvé des vestiges laissant croire à une production d'hydromel datant de l'âge de bronze! Obtenu par la fermentation de miel et d'eau, on dit que l'hydromel, ou « vin de miel », coulait à flots lors des fêtes de l'Olympe. Alors, ajoutez un petit goût de paradis à vos fêtes!

Un millier de ruches

À l'embouchure de la rivière Cascapédia, du côté de Maria, en Gaspésie, la famille Forest élève des abeilles. C'est près de mille ruches dont John, sa femme Panyong et leurs enfants Panya, Linda et Moukda s'occupent avec amour, et sans produits chimiques, pour un miel pur et bio de marque Rucher des framboisiers. Depuis 1997, l'entreprise familiale s'est lancée dans la production d'hydromel, en plus de la production d'une dizaine de variétés de miel. Et avec succès! En effet, l'hydromel Forest sec, fait à partir de miel de framboisier, s'est vu attribuer le prix Miel d'argent 2006 et le Miel d'or en 2008. L'hydromel sec a une couleur jaune paille tirant sur le vert, des senteurs florales, un arôme délicat et beaucoup de fraîcheur. Il accompagne divinement le foie gras, le poisson, les fruits de mer et la volaille. Le second récipiendaire du prix Miel d'Argent (en 2001, 2007 et en 2008) est l'hydromel Forest doux. Sa couleur jaune fluo étonne tout d'abord, mais c'est avec bonheur que l'on succombe à sa douceur et à son onctuosité. Merveilleux au dessert ou en apéro. En plus de ces deux vins de miel exceptionnels, la maison en propose d'autres aromatisés aux cerises, aux framboises ou aux bleuets et amélanches… À découvrir absolument!

Maria • www.jardindelabeille.com

Des bulles sucrées

Le mousseux à l'érable de L'Ambroisie

L'érable nous apporte beaucoup. Son sirop est riche en zinc, en fer, en vitamines du complexe B, en magnésium, en riboflavine, en calcium, en potassium — entre autres… —, il est moins calorique que le miel, la cassonade et le sirop de maïs, il est riche en antioxydants et en antiradicaux libres et il aurait même un potentiel antimutagène. Depuis la découverte par les Amérindiens de sa sève printanière sucrée, on a trouvé mille et une façons de le déguster : en sirop, en tire, en sucre, en beurre… Mais avez-vous goûté à de l'alcool d'érable ? C'est ce nectar qu'on croirait élaboré spécialement pour les dieux que nous propose L'Ambroisie, une entreprise de Mirabel, dans les Laurentides. L'érablière-vignoble offre plusieurs vins élaborés à partir de la sève d'érable. Notre favori ? Le Caldeira, un mousseux d'érable.

Le Caldeira

Le mot « Caldeira » désigne le cratère produit par de gigantesques explosions ou par l'effondrement de la partie centrale d'un volcan. Un terme qui décrit fort bien l'effet que cet alcool effervescent aura sur vos papilles ! Élaboré selon la méthode traditionnelle champenoise, le Caldeira est un alcool d'érable produit par deux fermentations de la sève printanière de l'érable. En bouche, le Caldeira vous fait voyager grâce à ses notes fraîches, aériennes à saveur d'érable, de vanille et de noisette, le tout enrobé par des bulles d'une extrême finesse. Comme un champagne, on le sert à l'apéro ou encore au repas, par exemple avec le foie gras.

Mirabel • www.lambroisie.com

De l'or en bouteille

Le vin de glace du vignoble de l'Orpailleur

En 1982, des hommes qui n'avaient peur de rien se sont mis en tête de cultiver des vignes au Québec et d'en tirer du vin, et du bon! Une lubie impossible à réaliser? On aurait pu le croire. Et pourtant, trois ans plus tard, 15 000 bouteilles d'un blanc succulent avaient défié la rigueur du climat. Depuis, les vins de l'Orpailleur ne comptent plus les prix qu'ils reçoivent… Mais d'où vient ce nom, l'orpailleur, le chercheur d'or? C'est nul autre que Gilles Vigneault qui a ainsi baptisé le vignoble, en s'émerveillant de sa première cuvée : «Sa robe, son parfum, son arôme et son bouquet sont comme autant de paillettes d'or qui se souviennent des neiges sous lesquelles elles ont passé l'hiver», s'est exclamé le poète québécois.

Des vignerons inventifs!

Le vignoble de l'Orpailleur produit du vin blanc, gris, rosé, rouge, mousseux, apéritif et de glace, et ce, malgré les -30 °C et les gelées printanières communs dans ce piémont appalachien. C'est que les vignerons ne sont pas à court d'idées pour protéger leur vigne chérie : un printemps où le mercure frôlait le point de congélation, ils ont eu l'idée folle de faire voler un hélicoptère à 10 mètres au-dessus du vignoble afin de brasser l'air et d'ainsi faire monter un peu la température! Depuis, plutôt que d'acheter leur propre hélico, ils ont installé des machine à vent…

Visites et réceptions

Le vignoble de l'Orpailleur, c'est 17 hectares de vignes et une jolie maison de bois qui accueillait visiteurs et diligences au début du 20e siècle. Aujourd'hui, on y vient pour acheter du vin, pour une dégustation, pour une visite guidée du vignoble, pour le restaurant (et sa magnifique terrasse!), pour y célébrer un anniversaire ou un mariage… et pour faire le tour de son Économusée, qui nous fait remonter le temps et nous explique les méthodes anciennes de la fabrication du vin en présentant plusieurs artefacts : pressoir en bois, dames-jeannes, serpes, houes et même assiettes et bouteilles du 17e siècle. Il est également possible de visiter l'atelier du tonnelier et l'espace d'interprétation sur l'histoire du liège. Et puis, pendant tout l'été, on peut venir écouter de la musique : on y organise des spectacles de musique du monde jusqu'à la fête des vendanges.

Dunham • www.orpailleur.ca

..... *Accessoires de cuisine*

Les p'tits plats dans les grands !

La gastronomie est l'art d'utiliser
la nourriture pour créer le bonheur.

(Théodore Zeldin)

Du soleil dans la cuisine

Les beurriers bretons de Marie-France Carrière

Qu'est-ce qu'un beurrier breton ? C'est le beurrier parfait ! Pourquoi ? Parce qu'il donne au beurre une texture… parfaite ! Ni trop mou, comme lorsqu'on le laisse sur le comptoir, ni trop dur comme lorsqu'on le range dans le frigo. Comment est-ce que ça fonctionne ? Il se compose de deux parties, qui s'imbriquent l'une dans l'autre. On remplit de beurre la plus petite partie, le couvercle, et on remplit d'eau la plus grande. Puis, on referme. L'eau refroidit la céramique du couvercle et garde ainsi le beurre qui est à l'intérieur à la température idéale, à l'abri de la lumière et de l'air.

Des céramiques peintes à la main

Beurriers bretons, cocottes à œufs, pincées de sel bretonnes (salières qui mesurent exactement une pincée), boîtes à camembert (chauffe-fromage), tajines, bouteilles canards (pour huile et vinaigre)… Les céramiques de Marie-France Carrière sont jolies comme tout. Tournées et peintes à la main dans son atelier-boutique, elles ont un style gai et design, des couleurs vives et des motifs d'inspiration provençale qui apportent du soleil sur la table et dans la cuisine. De plus, elles sont robustes et peuvent aller au lave-vaisselle, au micro-onde et au four. Et leur peinture est garantie sans plomb.

Mangez nature !

Les couverts Justenbois

Vous mangez bio, vous recyclez, vous refusez les sacs plastiques, vous achetez équitable, Laure Waridel est votre maître à penser et vous aimeriez avoir Normand Laprise comme meilleur ami, bref, vous êtes écolo jusqu'au bout des ongles et gourmet jusqu'au bout des papilles… Et pourtant, vous mangez avec des couverts en acier inoxydable ! Saviez-vous que l'inox altère le goût des aliments ? Par exemple, une cuillère en inox laissée dans un verre de vin transforme en quelques minutes un château Lafitte en piquette ! Donc, pour déguster vos créations culinaires comme elles le méritent, optez pour des couverts en bois, qui laissent leur intégrité aux saveurs les plus délicates.

Design écolo

Justenbois, une entreprise située à Bolton, dans les Cantons-de-l'Est, fabrique des fourchettes, des couteaux et des cuillères en érable, un bois dense idéal pour la confection d'ustensiles car il bénéficie de propriétés naturelles contre les bactéries et est donc recommandé à des fins alimentaires par Santé Canada. Les ustensiles sont protégés par quatre couches de laque appliquées à la main, composées de résine de lin, d'essence de romarin, de microcristaux de cire et d'un pénétrant aux agrumes. Justenbois a à cœur l'environnement et la justice sociale. Les érables utilisés sont des arbres de culture, coupés en alternance. Un seul donne vie à 9000 ustensiles ! L'entreprise verte recycle tous les résidus, et les outils de coupes sont nettoyés avec du citron, ce qui signifie aucun rejet atmosphérique et aucune eau grise. Une production sans arrière-goût !

Bolton-Est　❋　www.justenbois.com

Pièces de collection

Les objets en étain de l'Atelier Chaudron

Sur une petite île du côté de Val David, Bernard Chaudron et son fils Antoine martèlent, emboutissent, repoussent et moulent l'étain pour créer, selon des méthodes de fabrication millénaires, des pièces aux formes simples et pures, à la fois contemporaines et classiques. Le métal prend sous leurs mains expertes la forme d'assiettes, de plats de service, de porte-couteaux, de vases, de pichets, de verres ou de lampes à l'huile. D'abord bijoutier, Bernard Chaudron exerce le métier d'art des métaux depuis plus de 50 ans.

Un métal intemporel

L'étain est un des premiers métaux exploités par l'homme. Malléable, il est utilisé à toutes les époques pour façonner ustensiles de cuisine, instruments médicaux, objets de cultes ou boucliers. Trop mou pour être utilisé pur, l'étain est mélangé à d'autres métaux. À l'Atelier Chaudron, c'est un alliage d'étain, d'antimoine et de cuivre que l'on utilise. On reconnaît la qualité de l'alliage grâce à son pourcentage d'étain. Celui de l'Atelier Chaudron se chiffre à 92 %, selon les normes nord-américaines. L'alliage ne contient aucun plomb, c'est dire que les produits sont non toxiques, qu'ils ne noircissent pas et ne transmettent aucun goût.

Un cadeau pour toujours

L'étain vieillit bien. L'âge donne une patine noble à ce métal gris argenté. Alors, pour votre dixième anniversaire de mariage (les noces d'étain!), nous vous proposons d'aller faire un tour sur le site Web de l'Atelier Chaudron (comme le font d'ailleurs bien des connaisseurs dans le monde entier). Peut-être craquerez-vous, comme nous, pour les porte-couteaux en forme d'animaux? À la fois œuvres d'art et objets utilitaires, chiens, faisans, écureuils, poissons ou renards égaieront votre table avec élégance.

Blanc translucide

Les Porcelaines Bousquet

Les porcelaines Bousquet, c'est un design épuré – des formes simples, des détails délicats –, une transparence qui laisse voir la qualité, une blancheur immaculée qui met en valeur une table ultra-chic comme une table de tous les jours. Louise Bousquet a une trentaine d'années d'expérience. C'est à Limoges même, le berceau de la porcelaine fine, qu'elle a perfectionné son savoir-faire. De retour au Québec, elle s'installe en Montérégie et met sur pied un atelier où elle fabrique des porcelaines comme elle l'entend : elle fait venir directement de Limoges un four créé sur mesure. Son idée : fabriquer une porcelaine fine selon des méthodes artisanales – les objets sont tous moulés à la main – avec une instrumentation de qualité industrielle. Le résultat est on ne peut plus réussi. Louise Bousquet est maintenant l'une des céramistes les plus réputées du Québec.

Décoration sur mesure

Si le blanc immaculé ce n'est pas votre truc, vous pouvez personnaliser votre vaisselle. Porcelaines Bousquet propose d'y inscrire ce que vous voulez. Vous savez dessiner et vous voulez votre œuvre sur une soupière? Qu'à cela ne tienne, vous l'aurez. Monogrammes, blasons, logos… Pour un cadeau corporatif ou pour un mariage, l'idée est excellente. Également, Porcelaines Bousquet a eu la merveilleuse idée de créer une collection où sont reproduites des œuvres d'artistes tels que Riopelle, Jean Dallaire, Maurice Savoie et Clémence Desrochers.

Visite guidée

Pour tout connaître de l'histoire et de la fabrication de la porcelaine, vous pouvez visiter à l'atelier de Louise Bousquet l'Économusée de la porcelaine. Vous y trouverez aussi toutes les pièces de la céramiste, qui, en plus de la vaisselle, crée des lampes et des vases.

..... *Décoration*

Ne grimpe pas dans les rideaux !

Quand on ne peut pas changer
le monde, il faut changer le décor.

(Daniel Pennac)

Fantaisie et bonne humeur

Les céramiques de Diane Marier

Les céramiques créées par Diane Marier font sourire. Elles ajoutent un grain de folie à une table, elles donnent un zeste de bonne humeur à un matin pluvieux en l'éclairant de leurs couleurs vives et de leur fantaisie. L'artiste québécoise, qui compte une trentaine d'années d'expérience, s'inspire de bêtes à poils et volatiles de toutes sortes. Sous sa main experte, un bol devient un zèbre, un vase, un oiseau, et un beurrier, un canard. Sur le couvercle de celui-ci : un mouton dans un champ. Sur celui-là, c'est un pingouin qui nous lance une œillade coquine. Toujours, les couleurs sont pimpantes et les poses sympathiques de ces charmants animaux accrochent un sourire à nos lèvres.

Des pièces uniques

Les céramiques de Diane Marier, c'est un cadeau unique. Chaque pièce a une personnalité propre. Aucune n'est pareille à une autre. C'est un coup de cœur. L'imagination de la créatrice est sans limites ! De plus, ces mignonnes œuvres sont pratiques et adaptées à la vie de tous les jours : canards, zèbres et moutons peuvent aller sans danger prendre leur douche au lave-vaisselle ou aller se réchauffer au four traditionnel comme au four à micro-ondes.

Baie-Saint-Paul ○ www.dianemarierceramique.com

La sculpture qui vient du froid

Les inukshuks de Vertige Glass

Dans le Grand Nord, les inukshuks sont des monuments en pierre qui guident les voyageurs. Un peu comme une borne, ils servent de point de repère dans la nature, là où il n'y a ni route ni panneau de signalisation. «Inuk» signifie «homme» et «shuk», «loin». Ces monuments ont une forme humaine, avec des bras qui partent de chaque côté. Ce sont ainsi des «hommes que l'on voit de loin». L'inukshuk est aussi le symbole de la force, de la motivation et du leadership. Bien des gens sont séduits par sa poésie et sa forte signification. C'est le cas de l'artiste Jacques Rivard, qui a décidé de s'inspirer des inukshuks pour créer sa propre version, en verre, auquel s'ajoute, dans certains modèles, de la pierre. Ces sculptures semblent tout droit sortie du Grand Nord, le verre donnant l'impression qu'elles sont faites de glace.

Le verre, pour sculpter l'imaginaire

L'artiste a trouvé dans le verre le matériau qui l'inspire. «La mi-clarté, le sombre, l'éclatant font respirer le verre, dit-il. Le verre est vivant. Froid ou chaud, discret ou étincelant.» Jacques Rivard travaille avec du verre recyclé. Ainsi, une fois vides, bouteilles de Coca-Cola ou de jus de fruit entament une nouvelle vie. Et quelle vie! Entre les mains de l'artiste, elles se transforment en émotion pure… En tournant lentement autour d'une de ses sculptures, on a l'impression que la lumière danse avec le verre et que de nouvelles formes naissent et meurent selon l'angle. C'est à chaque fois une expérience nouvelle. Pour magnifier cet effet, l'artiste ajoute de la lumière à l'intérieur de ses sculptures et parfois de l'eau, afin de donner une dimension nouvelle à ses formes. Les fontaines qu'il crée ainsi provoquent chez le spectateur un pur émerveillement. On ne se lasse pas de regarder danser la lumière entre le verre et l'eau. «Le verre demeure et persiste à animer le souffle de création qui m'habite.» Pour longtemps, espérons-le!

Saint-Luc-de Vincennes ○ www.vertigeglass.com

Accrochez une œuvre québécoise

Les toiles d'Henry Giroux

Un must : découvrir, encourager et afficher le talent des artistes québécois ! Comment choisir ? Certains diront qu'il faut étudier le marché pour connaître les artistes qui montent et voir cela comme un investissement. Nous n'avons qu'un seul conseil à vous donner : attendez d'avoir un coup de cœur. Une œuvre d'art doit émouvoir, elle doit faire plaisir, faire réfléchir, transporter. Vous devez être sûr que vous ne vous en lasserez pas au bout de quelques mois et qu'elle s'intégrera à votre décor. Un coup de cœur est une affaire très personnelle. Visitez les galeries. Peut-être tomberez-vous, comme nous, sous le charme des huiles d'Henry Giroux ? Ou peut-être irez-vous dans une tout autre direction… Les goûts et les couleurs ne se discutent pas !

Henry Giroux

Paysagiste, c'est surtout dans la lumière que s'exprime le talent d'Henry Giroux. Sur une toile, des enfants jouent au hockey dans un paysage de campagne. Comme un instantané, un arrêt dans le temps. Le jour tombe. Le bleu du ciel vire au mauve. Les rayons glacés du crépuscule hivernal se mélangent à la chaude lumière du lampadaire. On entend presque les cris des enfants résonner dans le silence de la campagne. On ressent le mélange du froid mordant et de la sueur. La fumée qui sort de la cheminée nous fait deviner un bon repas, une soupe chaude qui attend les enfants qui s'attableront, les joues rougies par le jeu… Les toiles d'Henry Giroux, c'est un flot de souvenirs, c'est le mystère d'un sentier fleuri qui bifurque, c'est l'éphémère d'un bouquet printanier, c'est la grâce du vent qui agite un champ de lavande, c'est les couleurs vibrantes de l'automne, c'est la délicatesse de la neige qui tombe…

Morin-Heights   ○   www.henrygiroux.com

Effets spéciaux

Les tuiles décoratives Dapila

Le corps humain est la source d'inspiration de l'artiste Dapila (Daniel Pierre Lamothe). Le concept est amusant, décoratif et pratique : des tuiles blanches en ciment avec des moulages en trois dimensions de diverses parties du corps. Par exemple, une tuile nous tend une main secourable pour tenir le rouleau de papier-toilette, des ciseaux, quelques fleurs, une bougie… Une autre nous tend l'oreille : on peut l'utiliser pour ranger des boucles d'oreilles ou des clés. Parmi les moulages proposés : mains, pieds (amusant, ce gros orteil qui tient la brosse à dents!), nombrils, yeux, dents, nez… et autres organes plus coquins! On peut en accrocher une dans l'entrée, dans la salle de bain, dans la chambre à coucher… ou alors faire un montage de plusieurs tuiles côte à côte, pour créer sa propre œuvre d'art. On peut même les peindre.

Un artiste multidisciplinaire

Dapila n'en est pas à ses premières armes. Peintre, sculpteur, directeur artistique à la télévision, créateur d'effets visuels pour le théâtre, il a aussi créé des trophées pour Radio Rock Détente, qui trônent aujourd'hui sur la cheminée de nuls autres que Céline Dion, Garou, Isabelle Boulay, Dan Bigras, Jean-Jacques Goldman, Luc Plamondon, pour ne nommer que ceux-là. C'est lors d'un voyage au Portugal que l'artiste multidisciplinaire tombe amoureux d'un concept : les azulejos, ces carreaux de faïence décorés qui revêtent les murs et les sols des maisons. Depuis, il décline le concept avec ses tuiles en ciment design. Amusant, pratique et original.

Montréal ◯ www.dapila.com

..... *Décoration*

Tire-toi une bûche !

Un petit chez soi vaut mieux
qu'un grand chez les autres.

(Proverbe français)

Tchin-tchin !

Les celliers de Cavavin

Vous êtes un mordu du vin. Vous aimez sa robe, sa jambe, sa couleur, son nez… Les plus grands crus n'ont pas de secrets pour vous. Vous regardez vos bouteilles vieillir avec amour… Mais attention ! Peut-être les laissez-vous pourrir et non vieillir ! C'est que les vins ont besoin de conditions optimales si on veut les traiter avec tout le respect qui leur est dû. Il vous faut donc un cellier. Et pas n'importe lequel, pour ce Château Lafite Rothschild 2004 ! Non, il vous faut le nec plus ultra des celliers. Une cellier « haute couture »…

Pour tous les décors

Cavavin est une entreprise québécoise qui se spécialise dans la fabrication de celliers. Savoir-faire et connaissances se conjuguent pour créer des celliers aussi parfaits technologiquement qu'esthétiquement. Car il est fini le temps où ils étaient cachés dans un coin. Aujourd'hui, il est de mise de montrer ce meuble et d'en faire admirer le contenu à ses hôtes (à moins que vous ne craigniez de faire des jaloux…). Cavavin construit donc des celliers au look moderne et tendance et d'autres de facture plus classique, pour s'harmoniser avec tous les décors. L'équipe de spécialistes — des ébénistes aux frigoristes, en passant par le comptable et le directeur des ventes — fait tout en son pouvoir pour vous aider à bichonner vos bouteilles pendant de longues années. C'est qu'ils partagent avec vous une passion : le vin. Tchin-tchin !

Saint-Hubert **I** www.cavavin.com

Comme sur un nuage…

Les fauteuils berçants Pel International

Que ce soit pour bercer doucement votre nouveau petit bébé, pour reposer les os fatigués de votre arrière-grand-père ou tout simplement pour lire un bon bouquin, les fauteuils Pel sont un véritable bonheur. Le fabricant explique que c'est grâce au système de bercement de 12 pouces et au système de pivotement lubrifié à vie avec du Nylatron. Mais tout ça, ce n'est que de la technique. Rien ne vaut l'expérience : on se sent littéralement embrassé par leur cuir doux et leur rembourrage confortable. On peut incliner le fauteuil dans plusieurs positions, afin de trouver son idéal. Et quelle sensation ! On se sent comme sur un nuage… On ne se berce pas, on vole !

Confort et look parfaits

Les fauteuils Pel sont fabriqués et assemblés au Canada. Ils sont solides – la structure est constituée de tubes en acier. Il n'y a aucun écrou apparent, pour un look parfait et une grande stabilité. De quoi se bercer et se bercer encore, toute la journée… Mais attention ! Ce produit pourrait vous amener à passer votre temps à lire, à regarder la télé avec un thé bien chaud, à faire la sieste… À consommer, donc, avec modération si vous ne voulez pas que votre vie sociale et sportive en prenne un coup !

Saint-Félix-de-Valois **I** www.pelinternational.com

Explosion de créativité

Les meubles à tiroirs Sarbacane

Les meubles-œuvres d'art font rage par les temps qui courent. Bien sûr, pour trouver chaussure à son pied, cela demande plus d'énergie que de feuilleter le catalogue Ikea… Mais quand on déniche l'artiste qui possède la sensibilité qui nous convient, quel bonheur! Un conseil? Faites un saut chez Sarbacane. Les créations colorées et ludiques de ces artisans-artistes trifluviens vous séduiront, à coup sûr. Sarbacane lance un concept unique : l'ensemble « meuble-tableau ». Ainsi, une table (ou un guéridon) et un tableau sont construits dans la même essence de bois et les peintures se font écho. Une belle idée!

Duo d'artistes

Depuis 2002, l'ébéniste Nicolas St-Pierre et la peintre Marie-Ève Proteau se sont associés pour faire naître des ensembles contemporains au design unique. Ensemble, ils élaborent des collections non conventionnelles, même audacieuses. Tout d'abord, les deux artistes choisissent un thème, puis chacun laisse aller sa propre imagination, selon son champ d'expertise. Nicolas réalise les meubles et Marie-Ève ajoute les peintures. Résultat : oubliez l'ameublement traditionnel et ouvrez votre maison à l'originalité! Par exemple, pour la collection Chambre noire, le duo s'est inspiré de la photographie et du cinéma. Des clins d'œil au thème sont présents dans la structure du meuble — bobines de film sculptées dans le bois, entre autres — et des portraits en noir et blanc lancent des œillades de stars. Sarbacane propose, autre autres, des tables avec pattes « en labyrinthe », des mini-bibliothèques dont les portes sont peintes pour ressembler à des écrans de télévision ou une unité de rangement sur un pied sculpté à la manière d'un tronc d'arbre. Créativité hors de l'ordinaire pour un résultat chic et choc.

Trois-Rivières **┃** www.sarbacane.qc.ca

Pour cuisiner avec style

Les meubles de cuisine Concept Giroux

Au Québec, traditionnellement, la cuisine est le cœur du foyer. C'est là que la famille se retrouve, c'est là qu'on bavarde, qu'on reçoit les voisins et les amis. Les enfants entrent et sortent par la porte d'en arrière, les parents sont aux fourneaux, les voisines passent raconter les derniers potins de la rue dans les odeurs de pâté chinois et de pouding chômeur… Si aujourd'hui le pâté chinois laisse souvent la place aux aiguillettes de canard sauce au porto et si les biscuits aux patates ont été remplacés par des biscotti et des fondants au chocolat, le Québec, tradition oblige, n'a pas adopté le style cuisine laboratoire où le chef crée dans la solitude et le recueillement. Non, ici, la cuisine est toujours un endroit convivial et accueillant. Et Concept Giroux nous aide à faire de cette pièce un lieu aussi pratique que chaleureux.

Îlots et étals de boucher

En plus de sa superbe collection de tables de bois, Concept Giroux propose îlots et étals de boucher, pour une surface de travail supplémentaire. Fabriqués selon les règles de l'art comme autrefois (ce qui signifie pièces goujonnées, mortaisées, collées — ni clous ni vis ne tiennent les pièces ensemble), les meubles Giroux apportent un côté design à la cuisine. Ils sont créés à partir de matières nobles — acajou, noyer, cerisier — et on peut les choisir incrustés d'acier inoxydable, de granit ou de marbre. Plusieurs options sont offertes, comme tiroirs à épices ou porte-couteaux… Notre coup de cœur : un lutrin où l'on dépose son livre de recettes.

Chambly **I** www.conceptgiroux.com

Poésie intérieure

Les Meubles du Loft

Les Meubles du Loft proposent du mobilier d'art. Des meubles en bois qui semblent habités d'une âme. Au départ, il y a la matière noble des essences de bois. Ensuite, il y a l'inspiration de l'artiste, qui laisse place à une sensualité et à une fluidité séductrice. Pour insuffler de la poésie à votre intérieur, l'artiste Alain Bélanger propose lampes, commodes, tables, unités de rangement qui semblent faire fi des contraintes de la fonctionnalité. On dirait plutôt des sculptures. Mais ce n'est qu'une impression, car ces meubles sont aussi durables, pratiques et fonctionnels. « Les antiquités du futur », comme le dit l'artiste. Ici, les lignes droites se sont enfuies, les angles laissent place à des rondeurs… Les meubles semblent en mouvement. Les couleurs sont audacieuses : du rouge et du vert lime, entre autres.

Des pièces uniques

Les Meubles du Loft proposent deux options pour satisfaire les collectionneurs comme les amateurs d'art fonctionnel. On peut se procurer une pièce de série limitée, numérotée et signée par l'artiste. Ou alors, on peut se faire faire un meuble sur mesure : on choisit ses essences de bois favorites ainsi que les poignées et la finition qui sera le complément parfait du décor auquel ledit meuble sera intégré. Chaque meuble est fabriqué de façon artisanale, pour un résultat unique.

Montréal **|** www.meublesduloft.com

Charme d'antan

Les Meubles Hochelaga

L'entreprise Les Meubles Hochelaga se spécialise dans la reproduction d'époque. On propose des meubles au design simple et solide, d'autres plus travaillés, ornés de becs de canard, de fausses clés ou de queues de rat, et d'autres encore qui osent des peintures multicolores, de paysages ou de personnages, fantaisies propres à l'art populaire du Québec. C'est sûr, chacun y trouvera son coup de cœur. Patine, écaillage, craquelage confèrent aux pièces un air d'antiquités, mais, contrairement aux véritables, on peut être sûr de leur solidité et de leur durabilité. On trouve chez eux des meubles pour toutes les pièces de la maison, de la cuisine à la chambre à coucher… et même du moderne servi à l'ancienne : des meubles audio-vidéo.

Selon les règles de l'art

Solidement construits et assemblés avec minutie et précision par des artisans fiers de leur métier, ces meubles au cachet d'autrefois sont indémodables. Les matériaux utilisés varient d'une collection à l'autre et l'on offre même des pièces fabriquées avec du bois recyclé qui provient de vieilles granges, d'écoles de rang ou d'églises. Assemblés à la cheville, finis au rabot manuel, les meubles Hochelaga sont construits, un à la fois, selon les méthodes traditionnelles. Les protections utilisées sont la cire, l'huile de lin ou une laque à base d'eau ou d'huile. Chaque meuble est sculpté et peint à la main, et gravé au ciseau. Une qualité et un style que vous pourrez léguer à vos petits-enfants !

Montréal **I** www.meubleshochelaga.com

Du rêve à la réalité

Les meubles Re-No

Quand les designers, architectes et décorateurs professionnels veulent des meubles originaux pour décorer plateaux de télé ou condos de luxe, c'est chez Meubles Re-No qu'ils vont. C'est là qu'on fabrique exactement ce qu'ils ont en tête. Peu de gens savent qu'il est possible de faire de même pour meubler son petit chez-soi. Le service est en effet offert aux « simples mortels » ! Des artisans au grand talent fabriquent méticuleusement les sofas, chaises, tables et autres meubles que vous avez rêvés. Et, si vous avez besoin d'un coup de pouce, des designers sont sur place pour vous conseiller.

Design et qualité

Un tour dans le grand magasin de l'avenue Charlemagne, à Montréal, saura sans nul doute vous donner une foule d'idées et vous fera rêver. C'est que les propriétaires, ont un goût et un flair incroyables. Lignes pures, design contemporain, qualité des matières… Ils fréquentent assidûment la foire de Milan, d'où ils rapportent non seulement des idées, mais aussi des meubles. En effet, Meubles Re-No importe certaines grandes marques, que l'on peut se procurer chez eux. Flou, Porada, Molinari, Kappa… Vous pourrez tous les admirer, les acheter ou alors vous laisser inspirer pour créer votre meuble à vous.

De génération en génération

Meubles Re-No, c'est l'aventure qu'a commencée Noël Massicotte, dans les années 1960. Aujourd'hui, c'est son fils Michel ainsi que ses neveux Christian et Stéphane qui tiennent les rênes de la compagnie, en attendant qu'une nouvelle génération de Massicotte soit prête à reprendre le flambeau. Un savoir-faire qui se transmet de génération en génération, pour des meubles entièrement fabriqués à Montréal, d'une qualité irréprochable.

Montréal **I** www.mreno.com

Femmes-tiroirs

Les meubles Sorrentino-Sanche

Les créations de Sorrentino-Sanche sont des objets qui dansent, qui explosent, qui vivent. S'agit-il de meubles ou d'œuvres d'art ? Impossible de trancher… Les deux en même temps ! Sorrentino et Sanche proposent des commodes si délirantes qu'on a du mal à les appeler commodes. Femmes-tiroirs leur irait beaucoup mieux… Leurs créations semblent tout droit sorties d'un conte de fée ou du pays des merveilles. La nuit, elles se mettent à parler et à marcher, c'est sûr ! Et le jour, si on les fixe longtemps, on jurerait les voir respirer…

Fusion des matières

À l'origine de ces merveilles, deux arts : l'ébénisterie et la métallurgie. Et deux artistes : Angelo Sorrentino et Nathalie Sanche. Angelo maîtrise si bien son art que sous ses doigts le bois semble devenir de la pâte à modeler. Il parvient à lui donner des formes et un mouvement que l'on n'aurait jamais imaginé. Nathalie, elle, intègre des scuptures de métal aux créations, ce qui donne au meuble son côté statuesque. Le mariage est plus que réussi. L'équilibre entre les matières est parfait, comme celui dans lequel semblent se trouver ces femmes-tiroirs. En effet, on dirait qu'elles sont au milieu d'un mouvement, en équilibre, comme figées dans le temps par le rapide déclic d'un appareil-photo.

Où les admirer ?

Dans votre chambre à coucher, bien sûr ! Mais, pour faire votre choix parmi ces œuvres uniques, vous pouvez aller soit directement à l'atelier des artistes (sur rendez-vous seulement), soit dans des galeries où ils exposent fréquemment (vous trouverez la liste des expositions sur leur site).

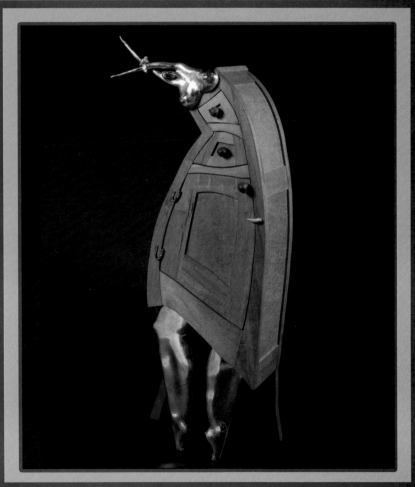

Titre de l'œuvre : Dans un moment d'adoration   Médium : érable, aluminium
Dimension : 172 x 61 x 38 cm / 68 x 24 x 15 po   Pièce unique/Collection privée

Magog **I** www.sorrentinosanche.com

..... *Vêtements*

Toujours tiré
à quatre épingles !

Le plus beau vêtement qui puisse habiller une femme, ce sont les bras de l'homme qu'elle aime.

(Yves St-Laurent)

Sensualité magique

Les chapeaux Création Manon Lortie

Manon Lortie est chapelière. On est tenté de dire artiste. Elle crée en effet des chapeaux qui sont de véritables petites œuvres d'art. Dans ses mains, la paille se plie, se tord, se soulève, se transforme ; le feutre prend vie. Ici, un bord est relevé, aussi naturellement que sous l'effet d'un coup de vent, comme figé dans le temps. Là, c'est la délicatesse d'un petit pli qui souligne la rondeur de la tête… Lorsqu'on porte un de ses chapeaux, on a l'impression qu'un peu de leur magie déteint sur nous… On se met à bouger différemment, à regarder différemment. Une œillade lancée de sous un chapeau à large bord, ce n'est pas une œillade ordinaire… Un visage illuminé par le soleil qui passe à travers les mailles de paille semble sorti du tableau d'un grand maître... La nuque prend une dimension troublante lorsqu'un bord relevé la découvre... La regarder devient presque indiscret… Éclectiques et séduisants, les chapeaux de Manon Lortie ravivent une sensualité angélique ou vibrante.

À chaque tête son chapeau

Depuis 1999, Manon Lortie crée des pièces uniques ou de série limitée. Des chapeaux petits, grands, plats, à larges bords, mous, pointus, ronds… son inspiration est sa seule limite. Et son style se prête aux créations les plus excentriques comme aux plus raffinées. En 2004, elle conçoit même le chapeau d'apparat de la Sûreté du Québec. C'est qu'elle sait se mettre à la place de ses clients pour comprendre et sentir leurs besoins et leurs envies. Elle crée d'ailleurs des chapeaux sur mesure, en plus de sa collection. La chapelière vous accueille dans sa petite boutique à Ste-Luce, au bord de la mer, en saison et en atelier sur rendez-vous hors saison.

Sainte-Luce-sur-mer
www.creationsmanonlortie.com

Fourrure tendance

La fourrure reclyclée Harricana

Out, la fourrure ? Ça dépend laquelle ! Pour porter un vison la conscience tranquille, le choix écolo s'impose : la fourrure recyclée. En 1994, Mariouche Gagné, alors jeune designer à peine sortie de l'école (et pas n'importe laquelle : rien de moins que la prestigieuse Domus Academy de Milan !), lance sa griffe, à partir d'une idée de génie : pourquoi ne pas se servir des vieux manteaux de fourrure démodés pour créer de toutes nouvelles pièces tendance et, surtout, uniques ? Depuis, on s'arrache ses collections, saison après saison.

Bien au chaud

Chapeaux, pantoufles, manteaux, capes… La designer sait tirer profit de deux des qualités principales de la fourrure : son élégance et sa chaleur. Elle crée ainsi des pièces chic, comme des chapeaux, des étoles, des manteaux, des sacs à main, mais aussi une collection de vêtements sport doublés de fourrure. Pour la maison, elle propose des coussins et des couvertures qui donnent envie de passer des heures à regarder un feu en buvant du thé bien chaud. Pour les tout-petits, elle confectionne des nids d'ange, des peluches, des mitaines et des marionnettes en fourrure. Harricana a même une collection d'été ! Non, rassurez-vous, pas de fourrure, cette fois ! Mais des corsages fabriqués à partir de foulards de soie recyclée et de la doublure de vos vieux manteaux ! Gageons que vous ne regarderez plus jamais le manteau de votre grand-mère de la même manière…

Sur mesure

Outre ses collections Harricana offre un service de confection sur mesure. Vous pouvez ainsi apporter votre vieux manteau démodé pour le faire retravailler par des mains expertes qui le transformeront, selon vos goûts, en un nouveau manteau au look résolument moderne : classique, à la mode ou d'avant-garde, le choix vous appartient.

À visiter

Les créations Harricana sont vendues chez de nombreux détaillants partout dans le monde. Mais si vous voulez vivre l'expérience totale, rendez-vous à l'atelier-boutique, installé dans une ancienne banque du début du siècle. Un univers baigné de lumière bleutée, qui se veut une immersion dans les eaux glaciales de l'Arctique. Un lieu féerique que l'on peut louer pour des événements, avec service de traiteur, de D.J. et de bar.

Montréal
www.harricana.qc.ca

Rêves de naïades

Les maillots de bain Lili-les-Bains

Vous vivez des vacances de rêve. Vous nagez avec des poissons multicolores dans une eau translucide. Telle une naïade sur fond de mer turquoise, vous émergez pour rejoindre votre amoureux sur la plage… Mais là, problème : votre maillot se coince entre vos fesses, les bretelles tombent sur vos épaules et le tissu baille sur votre ventre, lui ajoutant des plis dont il n'a vraiment pas besoin ! Comme quoi, un bon maillot, c'est essentiel. Louise Daoust, designer de la griffe Lili-les-Bains, l'a compris. Voilà pourquoi elle propose des maillots de bain ajustés sur mesure.

Le maillot parfait pour vous

Après une visite chez Lili-les-Bains, vous cesserez de voir l'essayage d'un maillot comme une séance de torture. Ici, tout est mis en place pour faire de cette expérience un moment agréable. D'abord, l'ambiance. La température est agréable, on n'aura pas de frissons. Les cabines sont grandes, pas besoin d'en sortir. Le service est souriant, agréable. Ici, personne pour vous faire comprendre à demi-mot que «ce maillot devrait pourtant vous aller comme un gant…». C'est un endroit sécurisant. Chez Lili-les-Bains, on a compris que c'est le maillot qui doit s'adapter au corps de la femme, pas le contraire. S'il y a un problème, c'est du côté du vêtement, pas du côté de la personne ! Les maillots sont donc ajustés directement sur le corps. Car chaque corps est unique.

Parole de designer!

Pourquoi un maillot Lili-les-Bains? «Je ne pourrai pas faire disparaître vos cuisses, prévient la designer. Je ne referai pas votre poitrine, mais je promets de vous trouver une couleur qui vous donnera une allure tonique, une peau lumineuse et éclatante, une coupe parfaite pour vos cuisses et votre petit ventre de madone. Je mettrai en valeur vos atouts, même ceux que vous ne voyez pas!» Des générations de femmes québécoises le confirment, comme Janette Bertrand, Geneviève Borne, Geneviève Brouillette, Francine Ruel, Louise Portal, Linda Johnson ou Geneviève Rioux, pour ne nommer que celles-là.

Saint-Lambert
www.lililesbains.com

Sirènes de luxe

Les maillots de bain Shan

Pour plonger dans les eaux cristallines de la très jet-set plage de Saint-Bart... ou dans les eaux chlorées de la piscine de Brossard, une vraie star se doit de toujours paraître sous son meilleur jour ! Les maillots de bain Shan sont un must pour toute fashionista qui se respecte. D'ailleurs, ce n'est pas pour rien que tant de célébrités les choisissent : Eva Longoria, Kate Moss, Jennifer Garner, Mena Suvari, Goldie Hawn et nulle autre que notre Céline nationale sont toutes tombées sous le charme.

Glamour toujours

Le style glamour, sophistiqué, élégant et raffiné des collections Shan plaisent aux clientes les plus avisées. En plus d'être féminines et contemporaines, elles sont d'un confort exemplaire. À la fine pointe de la technologie, les matières utilisées donnent l'impression que le maillot fait presque partie de notre corps. Légèreté absolue, maintien total et matières performantes... Pour Shan, l'aspect technique est au service du design dans cette conjonction paradoxale de l'audace et de la finesse. La mousse légère avec élastane se marie à de subtiles broderies, à des boucles sophistiquées et à une foule d'autres ornements, tout en douceur, pour ajouter une touche ultra-féminine à leurs coupes parfaites.

Laval
www.shan.ca

Pour défier les extrêmes

Les manteaux d'hiver Kanuk

Pourquoi passer un autre hiver à geler et à pester ? Pour déjouer le froid sibérien, pour pouvoir jouer dehors avec vos enfants — et avec le sourire — quand l'air fait geler les cils, pour pouvoir attendre l'autobus en chantonnant dans le vent, emmitouflez-vous dans un Kanuk !

Du camping d'hiver aux rues de Montréal

L'entreprise a été fondée dans les années 1970 par Louis Grenier, un amateur de plein air et de camping d'hiver qui en avait assez de ne pas trouver de vêtements adaptés à des températures de -30 °C. Si le premier Kanuk s'adressait aux aventuriers des extrêmes, aujourd'hui, les designers ont créé toutes sortes de styles, de la grosse parka à des coupes plus ajustées agrémentées de fourrure, aussi seyantes à la ville qu'à la campagne.

Le secret de la chaleur Kanuk

Tout d'abord, ce sont les matériaux. Kanuk utilise des matériaux synthétiques qui n'absorbent pas l'humidité et qui laissent respirer. Et puis, la confection elle-même est pensée en fonction de l'isolation : aucune couture ne traverse le manteau de part en part, afin de ne pas laisser le froid s'infiltrer. De plus, la partie isolante est indépendante de la partie coupe-vent. Et les couches de la partie isolante — pellicule stabilisatrice, isolant et doublure — sont surjetées. C'est là le secret de la chaleur Kanuk. Et — un plus en cette époque de mondialisation — les vêtements Kanuk sont entièrement faits au Québec.

Montréal
www.kanuk.com

Sous-vêtements chic pour hommes raffinés

La collection Taxi des Tricots Godin

Le chic du chic au rayon de la lingerie masculine ? Les sous-vêtements Taxi, de l'entreprise Tricots Godin. C'est qu'en plus d'être confortables, ils sont beaux ! Finis les caleçons de grands-pères, finis les boxers aux motifs enfantins ! L'homme d'aujourd'hui est raffiné jusque dans les moindres détails. Plusieurs styles et couleurs sont proposés et les coupes offrent un grand confort, grâce à une coquille plus profonde et — sur certains modèles — une ouverture en X.

Le confort du bambou

Les Tricots Godin s'appuient sur une grande expérience en matière de lingerie. Depuis 1945, l'entreprise située à Sainte-Anne-de-la-Pérade, en Mauricie, fabrique toute une gamme de sous-vêtements pour femmes, hommes et enfants. Toujours à la recherche de nouveaux moyens de rendre leurs produits plus confortables, ils expérimentent toutes sortes de combinaisons de fibres et de tricots. C'est ainsi qu'est née la nouvelle collection Taxi, tissée en fibres de bambou. Le bambou est biodégradable (l'homme moderne a une conscience !) et possède des qualités antimicrobiennes et absorbantes, ainsi qu'une douceur telle que c'est un matériau de choix pour les couches lavables… Ne dit-on pas que les hommes restent toujours de grands bébés ?

Sainte-Anne-de-la-Pérade
www.taximode.com

Voyage au pays des merveilles

Les t-shirts sérigraphiés Kettö design

Pousser la porte de la boutique Kettö, c'est comme pénétrer dans la caverne d'Ali Baba, c'est comme plonger dans un rêve d'enfant… Ici, tout est jeu, tout est fête : les objets respirent la bonne humeur! Porcelaine, tissus, cahiers… Tout ce qu'on y trouve est décoré avec une fantaisie pétillante. Sur une tasse, une tête de mort semble nous faire un clin d'œil, sur un t-shirt, une fée mutine nous pointe de sa baguette magique… Un univers empreint de folie qui nous invite à retrouver notre cœur d'enfant.

De la tasse au vêtement

Les créateurs de l'équipe de Kettö ont commencé en dessinant un chat bleu sur une tasse… et puis ils se sont vite mis à décorer tout ce qui leur tombait sous la main! C'est ainsi que de ludiques personnages ont envahi pots de fleurs, tuiles, poterie et cartes de souhaits. Mais l'ébullition créative de l'équipe ne pouvait pas en rester là! Aujourd'hui, mignonnes petites fées, cow-boys urbains, chats paresseux et toute une foule bigarrée de personnages fantaisistes se retrouvent jusque sur des cache-couches. Mais c'est certainement sur les t-shirts de coton aux coupes simples et épurées de la marque American Apparel, pour enfants et pour adultes, que Kettö laisse le plus aller son imagination débordante. L'espièglerie de la griffe se retrouve également dans une ligne de bijoux : des médaillons en céramique peints à la main, aux couleurs joyeuses et au design original.

Québec
www.kettodesign.com

Protection maximale

Les vêtements d'expédition Quartz Nature

Si vous avez l'intention de faire une expédition dans le Grand Nord ou si vous avez l'impression que sortir faire vos emplettes pendant le mois de février, c'est une véritable expédition, alors vous avez besoin d'un manteau Quartz Nature, conçu pour les froids les plus intenses. Les vêtements d'expédition de cette entreprise québécoise sont portés par les aventuriers de l'Arctique et par des scientifiques devant rester dehors par des températures de -30 °C. Par exemple, le manteau Vostok II, une parka ultrachaude, est porté par l'équipe du chercheur Lyle Whyte, de l'Université McGill, et il est idéal pour les longues balades au clair de lune dans l'hiver arctique...

Technologie de pointe

Les tissus utilisés par Quartz Nature sont issus d'une technologie de pointe et portent des noms qui sonnent aux oreilles des néophytes comme des noms de vaisseaux spatiaux, mais qui en disent long aux amateurs de plein air d'hiver : Max Soft 2, HM 20000, Super Microsoft, Active Stretch, Cationik, Oxford ou Otron. Bref, la technologie au service du confort. Et si vous n'avez pas l'intention d'aller dire bonjour aux ours polaires, vous pouvez quand même profiter de la chaleur des manteaux Quartz Nature tout en ne sacrifiant rien à la mode puisque l'entreprise offre également une collection aux coupes urbaines, inspirées par le design inuit — capuchons pointus et broderies— , ou contemporaines, avec capuchon bordé de fourrure — naturelle ou synthétique...

Une entreprise citoyenne

Quartz Nature a remporté le Prix québécois de l'entreprise citoyenne 2007, qui récompense une entreprise qui a posé un geste novateur en éthique des affaires. Quartz Nature a en effet rapatrié toute sa production au Québec, pour lutter contre la délocalisation dans le secteur du textile. Ainsi, elle a maintenu plus de 25 emplois et peut également recycler à 100 % ses rebuts de production.

Longueuil
www.quartz-nature.com

Adaptés à la vraie vie

Les vêtements de plein air Chlorophylle

Les vêtements Chlorophylle sont le nec plus ultra des vêtements de plein air. Et ils sont polyvalents : plus besoin d'acheter une veste pour ceci, une autre pour cela car vous pourrez porter la même pour toutes vos activités… ou presque! La collection comprend, entre autres, manteaux «imper-respirants», «softshells», parkas… Isolés pour -5 °C ou pour -40 °C, résistants à l'eau, confectionnés à partir de tissus antimicrobiens, qui évacuent l'humidité, qui résistent à l'abrasion ou qui sèchent rapidement… Tous les produits sont pensés jusque dans leurs moindres détails : capuchons ajustables sur les manteaux pour ne pas qu'un souffle de vent gèle nos oreilles, ouvertures d'aération sous les bras des coupe-vents, bandes élastiques de retenue sur les costumes de neige pour enfants pour glisser sous les bottes afin que la neige ne leur glace pas les jambes…

Testés par l'aventure

C'est en 1980, à Chicoutimi, qu'est née la marque Chlorophylle. Après un périple de trois ans à travers les Amériques, des passionnés d'aventure s'associent pour créer des vêtements et de l'équipement vraiment adaptés au plein air : ce n'est pas la théorie qui est à la base de ce succès, mais l'expérience. D'ailleurs, c'est en écoutant les commentaires des clients que la marque améliore ses produits.

Chicoutimi
www.chlorophylle.net

Fibre naturelle

Les vêtements L'Angélaine

Elles ont escaladé l'Everest, elles ont vu les nuages du sommet du Kilimandjaro, elles ont foulé la neige du mont Blanc, elles ont marché et marché jusqu'à Compostelle… Les chaussettes de l'Angélaine se retrouvent partout autour du monde, aux pieds des plus grands explorateurs et des plus fanatiques marcheurs. Les aventuriers de tout acabit ne veulent qu'elles dans leurs valises. Ils savent que même si le vent leur fouette le visage, si les pluies diluviennes s'abattent sur leur tête, si la chaleur et l'humidité de la jungle amazonienne fait friser leurs cheveux… ils auront toujours les pieds au sec grâce à ces merveilleuses chaussettes québécoises.

La chèvrerie

L'Angélaine, c'est une chèvrerie de Bécancour. Une jolie ferme où l'on retrouve une boutique et un élevage de chèvres Angora de race pure. On peut venir s'y promener avec les enfants et caresser les animaux. Deux fois par année, ces gentilles créatures offrent leur mohair afin que Michèle et l'équipe d'artisans de l'Angélaine nous confectionnent chaussettes, foulards, chandails et autres tricots. Toutes les collections sont d'une douceur incomparable et leur design plaira à coup sûr. Grandes écharpes, bonnets, chandails… pour un look traditionnel ou contemporain.

Sainte-Angèle
www.langelaine.com

Griffe d'exception

Les vêtements pour femmes Marie Saint-Pierre

La réputation de Marie Saint-Pierre n'est plus à faire. Elle s'est taillé une place depuis une vingtaine d'années parmi les grands noms de la mode québécoise. Depuis ses tout débuts, en 1986, la designer est parvenue à rester intemporelle, à la fois classique et avant-gardiste. Tout un exploit! C'est qu'un vêtement signé Marie Saint-Pierre est reconnaissable : silhouette aérienne, tissus en mouvement, la femme Marie Saint-Pierre est féminine et sexy, sans sacrifier au confort! Les vêtements de la designer sont en effet avant tout créés pour mettre en valeur le corps de la femme. Nul corset ou robe-carcan : chez elle, tout est fluidité. La séduction se trouve dans le froissement d'une étoffe, dans le scintillement ou la transparence d'une autre.

La magie du mouvement

Avant tout, ce sont les tissus qui créent la magie des vêtements de Marie Saint-Pierre. C'est d'ailleurs en les touchant que la designer dit trouver son inspiration. Dans ses créations, taffetas, chiffon et jacquard côtoient jersey et tissus métalliques. Elle les coupe amples, de façon à ce qu'ils prennent vie autour du corps de la femme, en devenant ainsi une mouvante extension. Savamment drapés, adroitement froissés, délicatement texturés, brodés ou froncés, ils s'ornent de dentelles ou de rubans pour une féminité simple, qui met la silhouette en valeur. Des vêtements à la fois raffinés et sexy.

Montréal
www.mariestpierre.com

Patchwork sophistiqué

Les vêtements recyclés Myco Anna

Difficile de décrire les merveilleuses créations de la maison de couture Myco Anna… Chaque pièce est unique, chaque morceau a sa propre énergie, son propre style. Les vêtements Myco Anna, ce sont des collages chic, des patchworks sophistiqués, des compositions éclatées… C'est que la griffe crée des vêtements originaux à partir de vêtements recyclés. Le résultat est on ne peut plus novateur : des vêtements non conformistes, un métissage de couleurs et de textures, des coupes féminines, des contrastes audacieux et une touche d'excentricité. Belle recette !

Être belle et avoir bonne conscience

Les créations Myco Anna sont tout indiquées pour la femme d'aujourd'hui. Le chic éclaté et sexy de ses collections parlent aux femmes modernes. Et, en plus, porter un vêtement Myco Anna, c'est affirmer sa sensibilité face aux problèmes de la planète. Pas étonnant qu'une kyrielle de stars les aient adoptés. Jorane, Marina Orsini, Marie Turgeon, Laure Waridel, Michèle-Barbara Pelletier, Sylvie Moreau, Sophie Lorrain, Mireille Deyglun et Pénélope McQuaid ont toutes succombé au charme de la griffe québécoise. Comme chaque pièce est unique, chaque femme peut trouver son coup de cœur bien à elle !

Québec
www.mycoanna.com

..... *Chaussures*

J'ai trouvé chaussure à mon pied !

À quoi sert l'étendue du monde
quand nos souliers sont trop étroits?

(Proverbe serbo-croate)

La crème de la crème
made in Saint-Tite

Les bottes de cow-boy Boulet

Depuis le 19e siècle, la petite ville de Saint-Tite est spécialisée dans la transformation du cuir. C'est là, en 1933, que Georges-Alidor Boulet fonde sa compagnie de fabrication de chaussures et de bottes. C'est qu'on trouve à Saint-Tite la meilleure main-d'œuvre spécialisée dans la transformation du cuir. Aujourd'hui, l'entreprise est sous la direction de la troisième génération de Boulet (Pierre, Guy et Louis) et les bottes de cow-boy Boulet sont synonymes de qualité et d'excellence partout dans le monde.

Le secret de leur succès

Pourquoi les bottes Boulet sont-elles si spéciales ? C'est qu'elles sont exceptionnellement confortables ! Leur secret : le procédé à la trépointe Goodyear. Mais qu'est-ce c'est ? La semelle est cousue à la trépointe (une bande de cuir au bout de la botte) qui est elle-même cousue à l'empeigne (le dessus de la botte) et à la semelle intérieure. Ensuite, l'espace entre la semelle intérieure et la semelle extérieure est rempli d'un mélange à base de liège. La semelle intérieure prend ainsi, avec le temps, la forme du pied. Les bottes Boulet sont faites de cuirs de qualité supérieure, provenant d'Amérique du Nord et d'Europe, et elles sont fabriquées dans la plus pure tradition western. Une grande partie du travail est faite à la main, par des artisans experts qui comptent en moyenne une quinzaine d'années d'expérience.

Fierté locale

Chaque automne, à Saint-Tite, on remonte le temps. Calèches, cow-boys, musique country... C'est que depuis les années 1960, la ville ne cesse de se « westerniser ». Tout ça, grâce à Georges-Alidor Boulet ! En effet, c'est à son instigation qu'a lieu en 1967 la première journée rodéo dans les rues de Saint-Tite. Le succès est immédiat : malgré la pluie, près de 6 000 visiteurs se pressent dans la petite localité. Le festival western de Saint-Tite « la plus grande attraction western de l'est du Canada » était né.

Saint-Tite
www.bouletboots.com

Pour briller sous la pluie

Les bottes Aquatalia

On craque pour les bottes Aquatalia. D'abord pour leur design. Leur ligne est simple, leur look est mode et tendance sans être tape-à-l'œil. Elles gardent toujours un air raffiné et urbain. Et elles brillent! Un véritable gloss pour les jambes. Pratique : si vous perdiez votre miroir de poche, elles pourraient vous être utiles pour retoucher votre maquillage! En noir, c'est classe. En rouge, c'est dévastateur…

Technologie et confort

Mais les bottes Aquatalia plaisent aussi pour une autre excellente raison : leur confort. La semelle intérieure est … comme un nuage ! Grâce à un coussinet sous la voûte plantaire, qui laisse respirer le pied tout en faisant office de barrière thermique, s'il fait froid, la semelle garde le pied au chaud et s'il fait chaud, elle garde le pied au frais !

Look international

Créée par Marvin K., en 1989, l'entreprise familiale Aquatalia a des bureaux au Québec et à New York, et ses bottes sont fabriquées en Italie. Et Marvin K. semble avoir tiré le meilleur de tous ces endroits. Le Québec lui inspire des bottes confortables et chaudes. Avec un climat comme le nôtre, il est essentiel d'avoir les pieds au sec ! Les cuirs et suèdes qu'il utilise sont imperméabilisés dès le tannage, ce qui fait que tout protège-cuir est super-flu, et ce, pendant toute la vie de la botte. New York lui inspire le goût pour des designs d'avant-garde, pour que vous soyez toujours la plus branchée. Et l'Italie lui inspire… le chic absolu. Tout pour plaire.

Montréal
www.aquatalia.com

Dans la neige avec style

Les bottes Martino Auclair & Martineau

Difficile de trouver des bottes pour passer l'hiver au Québec. Opter pour une botte européenne signifie avoir les pieds glacés quand il fait - 20 °C… mais on a du mal à se résigner à porter des moon boots pour nos rendez-vous au restaurant… Ah! les dilemmes de l'hiver… Merci Auclair & Martineau! Grâce à eux, on n'a plus besoin de se casser la tête à choisir entre style et chaleur. Enfin, de jolies bottes chaudes, des bottes que l'on peut porter pour séduire sous la neige!

Secret de fabrication

Auclair & Martineau utilise différentes doublures, selon les modèles : peau de mouton 100 % naturelle, laine de mouton, molleton et tissu synthétique Minktex. Et ils nous proposent aussi une curiosité : des bottes à la doublure… quatre saisons ! Difficile à croire : passer d'un extrême à l'autre est-ce possible ? Sans aucun doute, car la doublure AmiTEX, un textile de haute technologie, isole le pied, autant du froid que de la chaleur. Bref, il ne reste plus qu'à trouver chaussure à son pied !

Made in Québec

Entreprise familiale depuis 1956, Auclair & Martineau emploie maintenant une centaine de personnes dans la ville de Québec. Car leurs bottes, leurs chaussures et leurs mocassins sont tous fabriqués de A à Z à Québec. C'est l'engagement que la compagnie s'est donné.

Québec
www.martinofootwear.com

Hiver haut de gamme

Les bottes Saute-Mouton

Comment passer un hiver agréable ? Avec les pieds au chaud ! Il n'y a pas de journée trop froide, il n'y a que des journées où l'on n'est pas bien habillé. Pour rendre votre hiver plus doux, donc, l'entreprise Saute-Mouton s'est donné pour mission de fabriquer des chaussures et des bottes d'hiver chaudes, très chaudes, imperméables, confortables et jolies. Tout un pari. Remporté haut la main !

Les pieds au chaud

Saute-Mouton fabrique ses chaussures et ses bottes à Charlesbourg, et utilise des produits de qualité pour un résultat haut de gamme. Le secret de leur chaleur réside dans les trois couches qui forment la semelle intérieure. D'abord, une couche faite à 100 % de laine (d'où le nom Saute-Mouton) qui, en plus de garder le pied au chaud, le laisse respirer, ce qui ajoute au confort. Ensuite, une couche de polyester, qui capte la chaleur, puis du « foam Volara » et une membrane métallisée qui agit comme un réflecteur thermique pour garder la chaleur du corps. Bref, toutes les technologies sont à votre service pour que vos pieds puissent passer la saison froide dans un nid douillet… De plus, le cuir utilisé est imperméabilisé, comme toutes les coutures. Quant au design, il est tout à fait adapté à la réalité de nos hivers québécois. Pas de talons vertigineux, des lignes pures, des semelles qui s'accrochent bien à la glace. Un grand choix de textures et de couleurs est offert pour que vous soyez certain de pouvoir trouver chaussure à votre pied ! Pour hommes, femmes et enfants.

Québec
www.saute-mouton.com

Vert... de jalousie

Les chaussures de golf Nycole St-Louis

Malgré votre abonnement au double bogey, on vous regardera avec admiration l'été prochain sur les pelouses manucurées de votre club de golf. Attention! Les chaussures et les bottes Nycole St-Louis créent des envieux! Leur design est élégant, l'agencement de couleurs et de textures, original. Que vous optiez pour une chaussure aubergine à la pointe texturée façon croco, ou que vous préfériez l'audacieux mariage du rose bonbon et du jaune canari, les collections de Nycole St-Louis ont de quoi combler vos désirs les plus fous. Trente-cinq coloris et une grande variété de modèles sont disponibles. À chacun sa personnalité : à chacun ses chaussures de golf!

Élégance et confort

On ne porte pas des chaussures de golf pour aller croiser les jambes, accoudé au bar d'un resto branché, mais pour marcher, marcher et encore marcher ! Impensable, donc, d'avoir une chaussure qui fait mal aux pieds. Voilà pourquoi Nycole St-Louis se soucie des moindres détails dans la confection de ses chaussures. Pour un confort maximum, ses chaussures et ses bottes sont offertes dans plusieurs largeurs : AA, B, C et D pour les femmes, et D et EE pour les hommes.

Mont-Tremblant
www.nycolestlouis.com

Doux farniente

Les pantoufles Garneau

Quand dehors tout est blanc, quand le vent fait tourbillonner la neige et fait plier les arbres, quand les quelques malheureux passants se cachent tant bien que mal le nez et le front du froid piquant... quel bonheur de se barricader à l'intérieur et de paresser dans son fauteuil, avec un bon roman et une tasse de thé brûlant! Pour ajouter au doux plaisir du farniente, de chaudes pantoufles en mouton sont un must. Nos préférées? Les pantoufles Garneau, fabriquées de manière artisanale depuis 1977 dans un atelier des Cantons-de-l'Est avec les produits de la meilleure qualité qui soit.

Sur un nuage

L'artisan François Garneau fabrique ses pantoufles à la main, avec un souci du détail qui se remarque dans le produit fini. Les cuirs qu'il choisit sont d'une finesse et d'une douceur inégalées, et la doublure en mouton, d'un confort inouï. On les enfile… et c'est comme si on marchait sur un nuage. Le secret de l'extrême confort de ces pantoufles, c'est la peau de mouton. Elle garde les pieds au sec et au chaud, et la lanoline, une huile naturelle présente dans la laine du mouton, empêche toute friction. De la lanoline, c'est ce qu'on retrouve dans les crèmes pour bébés, c'est dire sa douceur ! Un fait important à noter : la peau de mouton est chaude pour l'hiver, mais comme elle laisse la peau respirer, elle garde les pieds au frais pendant l'été.

Pour tous les pieds

Les pantoufles Garneau se déclinent en une variété de modèles, pour plaire à tous les pieds. Des mules aux pantoufles pour enfants, en passant par des modèles qui montent sur la cheville, on est sûr de trouver pantoufle à son pied. Toutes portent des noms rigolos, comme la Tête de mule, la Mule à tout faire, la Bottine souriante, les Mousses et, notre préférée, la Paresseuse !

Asbestos
www.pantouflesgarneau.com

..... *Sacs*

L'affaire est dans l'sac !

Les sacs à main des femmes sont sans doute les seuls objets à avoir résisté aux perfectionnements mécaniques.

(Isaac Asimov)

La nature à portée de main

Le sac à main Noc

Le nec plus ultra en matière d'accessoire mode provient directement de nos forêts : les sacs à main en bois et cuir de Noc. De véritables œuvres d'art créées à partir de matières riches et nobles. Acajou pommelé, noyer noir, bubinga, cerisier tardif, érable à sucre, loupe de chêne sont mariés à des cuirs d'une douceur spectaculaire, pour des créations aussi luxueuses qu'originales.

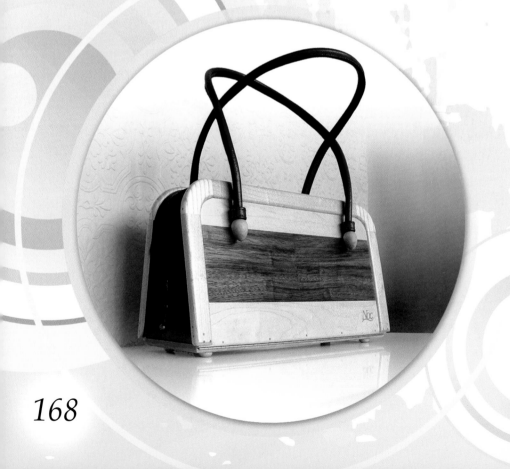

Luxe et prestige

Lancée par un ingénieur forestier, Mathieu Gnocchini, l'entreprise fabrique d'abord des articles d'écriture : livres d'or, agendas, carnets, albums photo et écritoires en bois. Un luxe qu'ont tôt fait de s'arracher les grands de ce monde. C'est en 2003 que Noc s'attaque aux accessoires de mode en fabriquant sa première mallette. Depuis, l'entreprise propose différents modèles de sacs à main et de porte-documents, tout en continuant sa ligne d'articles d'écriture.

Un savoir-faire multidisciplinaire

Fabriquer des sacs en bois, ce n'est pas banal ! Alors, comment s'y prend-on ? En faisant appel à des spécialistes de diverses disciplines – lutherie, ébénisterie, couture, ingénierie forestière, design, graphisme – qui apportent tous leur expertise afin de créer des objets fonctionnels (les sacs sont légers, imperméables, durables) et, ce qui est primordial, beaux !

Aquarelles sur toile... de coton

Le sac à emplettes Aquabelle

Les produits Aquabelle sont fabriqués dans la belle région de Charlevoix. Qui plus est, c'est de la région même qu'ils s'inspirent. En effet, c'est à partir des jolies aquarelles de l'artiste Andrée Paquin qu'ont été élaborées les pièces de

la collection. Son inspiration se nourrit des paysages de son coin de pays : petite église, jardin d'hiver, carriole, île… Au départ, les œuvres étaient reproduites sur des cartes et du papier à lettres. Puis, fière de son succès, la petite entreprise se lance dans la décoration de bloc-notes, d'agendas, d'albums photo, etc. Reproduites sur tissu, papier, carton, masonite, plexiglas, pin et autres essences de bois, et laminées sur film lustré, lin ou canevas, ces charmantes aquarelles se retrouvent sur plusieurs de leurs produits, dont leurs sacs à emplettes.

Pratiques et écolo

Les sacs Aquabelle vous accompagneront partout où vous irez. Fabriqués en toile de coton et offerts en plusieurs couleurs, ils sont parfaits pour faire vos emplettes ou tout simplement comme sac à main. Écologiques – vous n'aurez plus besoin de ces affreux sacs de plastique –, pratiques et jolis, ils font un excellent cadeau… à offrir ou à garder pour soi !

Chic et écologiques

Les sacs LilyÉcolo

LilyÉcolo est une entreprise qui vous propose de magasiner différemment en changeant vos habitudes de consommation grâce à une solution à la fois chic et écologique : des sacs tendance pratiques qu'on a envie d'utiliser partout, pour tout ! Les sacs LilyÉcolo apportent audace, style et couleur dans l'univers des choix écologiques.

Développement durable et pensée « cycle de vie »

Plus que des produits, LilyÉcolo est donc une marque d'attitude qui vise la promotion du développement durable et de la pensée « cycle de vie ». Sa mission : inspirer des pratiques pro-environnement au quotidien, motiver les gens à s'y investir et offrir des produits chic, pratiques et écologiques pour atteindre ces objectifs.

Un univers coloré

Le sac Direction Vert, collection Petite Rosie

La prochaine fois que vous irez faire votre marché, quittez la caisse avec style en transportant vos emplettes dans un sac réutilisable de la collection Petite Rosie. Ce sont des sacs de toile sur lesquels l'artiste Rosiane Machabée peint à la main des fleurs multicolores, des personnages enfantins, des animaux et des formes géométriques aux couleurs vives. En plus de protéger l'environnement, vous ferez sensation !

Bons pour tous

Vous pouvez également profiter des talents de Rosiane Machabée grâce à Direction Vert, qui reproduit certaines des œuvres de la collection Petite Rosie en sérigraphie sur ses sacs réutilisables. Fabriqués par des couturières de la région de Sorel-Tracy, les sacs de Direction Vert sont confectionnés à partir de surplus de lots récupérés ou de tissus comportant de légers défauts. La philosophie de l'entreprise ? Offrir à son personnel une rémunération concurrentielle pour pouvoir assurer aux consommateurs une qualité supérieure. Des sacs bons pour la planète, bons pour la société et bons pour votre style ! Que demander de plus ? On aime, un point c'est tout.

..... Bijoux

Mets-toi
sur ton 36 !

Rien n'est estimable en soi, ni l'or,
ni les perles, ni les soieries les plus fines.
Un objet, si parfait soit-il, n'a de valeur
que par le souvenir qu'il incarne.

(Louis Lefebvre)

Parure unique

Les bijoux d'Alain Miville-Deschênes

Dans le sol gelé de la Sibérie et de l'Alaska, il arrive qu'on trouve des mammouths fossilisés. Les hommes préhistoriques les chassaient pour leur viande, mais aussi pour l'ivoire de leurs défenses, avec lequel ils fabriquaient des armes et des outils. Aujourd'hui, l'ivoire de mammouth fossilisé est utilisé par l'artiste et coutelier Alain Miville-Deschênes. C'est d'abord dans le manche de ses couteaux qu'il l'a incrusté. Puis, il l'a utilisé pour réaliser une superbe collection de bijoux. Il crée ainsi des pendentifs, des boucles d'oreilles, des bracelets et des broches à partir de ce matériau inusité et exceptionnel — et tout à fait légal, contrairement à l'ivoire d'éléphant.

Voyage dans le temps

Les minéraux contenus dans la terre ont, au cours des millénaires, teinté l'ivoire de brun, d'orangé, de vert ou de bleu. Ainsi, chaque bijou est unique. Le créateur utilise les couleurs ou l'intérieur de la défense, qui a gardé sa couleur originelle de blanc cassé. Pas deux pendentifs ne sont pareils. Chacun a sa teinte, sa forme et… son aura. Car c'est en grande partie ce qui fait le charme de ces pièces : imaginer que l'on porte un morceau de mammouth, c'est pour le moins impressionnant ! Chaque bijou est façonné à la main, comme d'ailleurs la collection de couteaux de ce maître coutelier. Un artiste à découvrir.

Québec ✦ www.vestiges.ca

Glamour de star

Les bijoux de Caroline Néron

Son nom est synonyme de glamour et de séduction. Caroline Néron explose au grand écran dans des films qui font le tour de la planète, comme *L'Âge des ténèbres*, de Denys Arcand. On la voit depuis des années à la télévision dans des séries populaires telles que *Urgence*, *Diva*, *Réseaux* ou *Tribu.com*. Elle est présente à la radio avec son album *Reprogrammée*. Caroline Néron est partout… même pendue à notre cou ! Caroline Néron, ambassadrice de mode depuis le début de sa carrière, côtoie les designers et porte leurs vêtements lors de galas et soirées mondaines. Par son intérêt à la mode et en raison de son talent de styliste et de son image, Caroline créée des bijoux au style jeune et branché, toujours élégants et sophistiqués.

Briller de mille feux

Les collections de bijoux de Caroline Néron, c'est le chic et l'élégance de leur designer à la portée de tous. Vous les avez peut-être vus sur Alexandra Diaz, Anne-Marie Withenshaw, Isabelle Racicot, Lise Dion, Mitsou ou Pénélope McQuade… Pour les femmes, la pièce qui est la marque de commerce de la maison, c'est le collier cravate, de longues chaînes qui rendent les décolletés encore plus vertigineux… On aime l'audace d'une topaze surdimensionnée, l'éclat de l'argent sterling, la féminité du cristal… Pour les hommes, un clin d'œil aux symboles virils : revolver, mèche de perceuse, tête de taureau… Et pour les enfants, idée originale qui plaira sans l'ombre d'un doute aux petites princesses : des pendentifs en forme de mignons animaux – hiboux, coccinelles, chats ou papillons, par exemple – ornés d'un cristal de couleur. Avec les bijoux de Caroline Néron, on est prêt pour un gros plan !

Montréal ✦ www.carolineneron.com

Bonne humeur et fantaisie

Les bijoux Stella d'Isabel Désy

Les bijoux Stella ajoutent une touche de fantaisie à votre look. Couleurs et matériaux variés se marient pour un résultat coloré, amusant et design. Bracelets spirales, colliers à un, deux ou plusieurs rangs se parent de billes de couleurs, de breloques, de pierres et de perles de verre. Ils donnent une impression de légèreté. Aériens, les fils de métal de la structure ne sont pas encombrés par les breloques, mais ils soulignent plutôt l'architecture du bijou. Les couleurs sont agencées par thème : air, feu, eau et terre. L'air donne lieu à une collection de bijoux dans les tons neutres, argentés et de noir ; le feu, à des couleurs chaudes, comme le rouge et le jaune, mais aussi à des couleurs vives comme le vert et le bleu ; l'eau, à des merveilleux tons de bleu et de turquoise ; et la terre, à des tons de brun, mais aussi de rose, d'orangé et d'ambre.

La designer

Isabel Désy dit trouver son inspiration dans ses souvenirs d'enfance, dans les années 1970. Elle se souvient des bijoux multicolores et au design kitsch que sa mère portait à l'époque. Mais c'est avec un esprit résolument contemporain qu'elle réinterprète le passé. Ses bijoux vivants et funky se portent autant sur une petite robe noire, pour une touche de couleur, que sur une robe de mariée, pour un brin de fantaisie, ou avec un jean et un t-shirt. Ce n'est pas par hasard que les créations de la jeune designer se retrouvent couramment dans les pages des magazines de mode : les stylistes adorent la versatilité de ces petites merveilles !

Montréal ✦ www.isabeldesy.com

L'art du temps

Les montres de Diane Balit

Les créations de Diane Balit sont des merveilles de raffinement, de délicatesse et de savoir-faire. S'agit-il de montres, de bijoux ou d'œuvres d'art? En fait, elles parviennent à être les trois à la fois. L'artiste de renommée internationale peint délicatement, à l'aide de fines plumes et de pinceaux miniatures, sur des pièces de cuivre émaillé qui deviennent des cadrans. Cette technique de peinture millénaire prend sous ses mains des allures contemporaines. Diane Balit tire son inspiration de toiles de grands maîtres – Klimt, Monet, Van Gogh ou Gauguin – ou de la nature. Sur la face de cette montre, on plonge dans Venise. Sur cette autre, c'est une geisha qui nous lance une œillade séductrice. Chevaux, chats, tournesols, roses, palmiers et mappemondes sont autant de motifs qu'affectionne l'artiste.

Des pièces uniques

Les boîtiers les plus originaux de la collection sont triangulaires, mais on en trouve également des carrés, des rectangulaires et des ronds. Les bracelets peuvent être en cuir, en métal, composés de chaînes ou de résine. La collection Zig Zag Eau propose même un bracelet en… zig zag et un boîtier qui suit la courbe. Bref, il y en a pour tous les poignets! Et, toujours, la poésie est au rendez-vous. Un bijou unique au charme intemporel, pour passer des heures à regarder passer le temps…

Laval ✦ www.balit.com

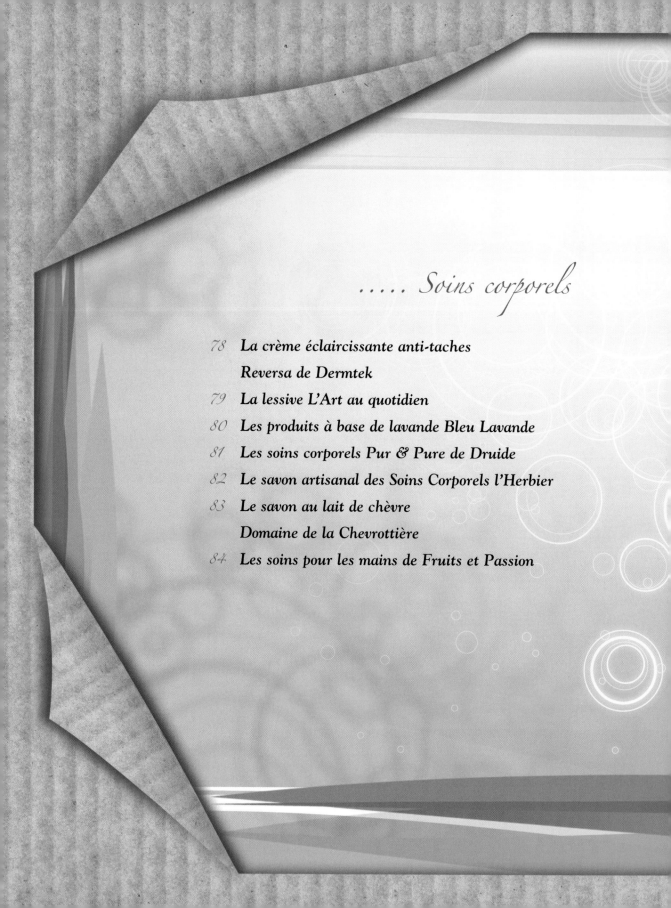

..... *Soins corporels*

Méchant pétard !

Ce n'est pas tout d'avoir de jolis yeux,
il faut qu'une petite lampe s'allume derrière.
C'est cette petite lueur qui fait la vraie beauté.

(Jean Anouilh)

Formule magique

La crème éclaircissante anti-taches Reversa de Dermtek

Véritable révolution dans la lutte contre le vieillissement, la crème éclaircissante anti-taches Reversa est en passe de devenir un élément essentiel de l'arsenal anti-âge de toute femme de plus de 35 ans. Jusqu'ici, la lutte contre les rides prenait toute la place sur l'étagère de la salle de bain. Mais ces petites taches brunes sur le décolleté, les mains et le visage sont bien plus révélatrices du passage des ans… Combien prouvent qu'on s'est amusée à l'Expo 67 ? Qu'on a voté au premier référendum sur la souveraineté ? Et combien prouvent qu'on se rappelle la première fois que Bobino est passé à la télé ?

Pour effacer les marques du temps

C'est la compagnie québécoise Dermtek qui a développé la gamme de soins Reversa. Celle-là même à qui l'on doit la crème de protection solaire Ombrelle, le chouchou de nos étés depuis plus d'une quinzaine d'années déjà (depuis, Ombrelle a été vendue à L'Oréal). La crème Reversa anti-taches permet d'atténuer les taches pigmentaires : taches brunes, taches de rousseur et taches de vieillesse s'estompent en quelques semaines. Comment ça fonctionne ? Grâce à l'acide glycolique, un de ces fameux AHA (acide alpha-hydroxylé), qui exfolie et aide la régénération cellulaire et grâce au Rumex, un extrait végétal provenant d'une plante des Prairies canadiennes, qui réduit la production de mélanine (le pigment qui colore les taches). Et en plus, des agents émollients (la vitamine E et la provitamine B5, entre autres) rendent la peau merveilleusement douce…

Crème multifonction

La crème éclaircissante anti-taches Reversa est vraiment une crème à tout faire : en plus de son action sur les taches, elle unifie le teint, elle protège des effets néfastes du soleil (FPS 15), elle adoucit la peau, elle l'hydrate en profondeur et elle atténue l'apparence des rides. Et tout cela en étant hypoallergénique, non comédogène, non parfumée et sans huile. Ouf ! Et, si votre peau vous en redemande, la gamme de soins Reversa compte également toute une panoplie de soins anti-âge, de soins de nuit, de soins fermeté, adoucissants, nettoyants, anti-acné…
Bref, aucune excuse pour ne pas être belle jusqu'à 107 ans !

Dorval • www.reversa.ca

La nature comme inspiration

La lessive L'Art au quotidien

L'Art au quotidien fabrique des produits pour la peau et pour la maison qui profitent des vertus et des bienfaits des plantes. Nourrissants et revigorants, stimulants et vivifiants, ou bien anti-stress et apaisants, relaxants et calmants, les parfums des crèmes, huiles de massages et autres sels de bain sont tous également agréables et contribuent au bien-être physique et psychique de leurs utilisateurs. Les savants mélanges d'extraits d'herbes et de fruits, de protéines de blé, d'algues ou de miel rendent chaque produit unique et répondent à un besoin spécifique. Et pour rendre à la nature les bienfaits qu'elle lui donne, l'entreprise ne conçoit que des produits biodégradables dans des flacons et des emballages entièrement recyclables.

Pour le corps ou la maison

L'Art au quotidien propose plusieurs gammes de produits. Produits de beauté pour femmes, soins pour hommes, diffuseurs pour parfumer avec élégance votre décor, etc. Notre coup de cœur : les produits pour la maison. On trouve, entre autres, une lessive ultra-douce pour laver à la main le linge délicat dans le respect de l'environnement et des peaux sensibles. Une bouteille transparente, un look frais, pour un produit qui se rend vite indispensable. Il est offert en plusieurs parfums : lavande de Provence (un classique, mais néanmoins notre favori!), thé vert, fleur de tilleul et fleur d'oranger. Laver ne sera plus jamais une corvée !

Montréal • www.artauquotidien.com

Comme en Provence…

Les produits à base de lavande Bleu lavande

Dans un lieu enchanteur, sur une colline des Cantons-de-l'Est, se trouvent des champs de fleurs d'un bleu tirant sur le mauve qui, au loin, rejoignent la couleur du ciel… C'est ici qu'est installé le seul et unique producteur canadien de lavande officinale certifié en vertu des normes internationales. Vous pouvez venir y passer la journée : profiter d'une visite guidée pour tout apprendre sur l'histoire (l'aventure !) de l'entreprise et sur l'extraction et le traitement de l'huile essentielle de lavande, pique-niquer dans l'aire spécialement aménagée à cet effet ou tout simplement vous balader, enivré du parfum riche et frais de cette fleur qui rappelle les collines de la Provence.

De multiples vertus

Bleu Lavande tire de ces jolies fleurs une huile essentielle aux multiples vertus. Tout d'abord, elle favorise la détente. Quelques gouttes sur l'oreiller et adieu insomnie et anxiété. En massage sur les tempes, elle fait fuir les maux de tête. Quelques gouttes dans le bain et c'est la détente à l'état pur. Mais ce n'est pas tout ! Diffusée par un brûleur ou un diffuseur, elle purifie l'air et chasse les mauvaises odeurs en plus de charger l'air ambiant d'ions négatifs, un peu comme au bord de la mer. Sur la peau, elle aide à soigner eczéma et acné, coupures, brûlures, piqûres et coups de soleil, par son action antiseptique et cicatrisante. Elle éloigne les moustiques, fait fuir les poux, les mites (c'est pour cela, les petits sacs de lavande dans les tiroirs… en plus du parfum agréable !), les puces et la gale. En friction, elle aide à soulager les douleurs dues aux rhumatismes. Bref, on ne compte plus ses bienfaits !

« *Vivre lavande* »…

Dans sa jolie boutique et chez les détaillants, Bleu Lavande offre toute une gamme de produits fabriqués à partir de la lavande. Pour le corps (savons, crèmes, bain mousse…), pour la maison (bougies parfumées, eau de linge, encens…), pour la cuisine (tisane, bonbons, aromates, chocolat, gelées, miel…). Pour une nouvelle expérience culinaire, rendez-vous sur le site de l'entreprise où l'on propose trois recettes qu'il vous faut absolument essayer : une mousse choco-lavande, une crème brûlée à la lavande et un saumon à la lavande. Oui, il est possible de « vivre lavande »…

Fitch Bay • www.bleulavande.ca

Un pur bonheur

Les soins corporels Pur & Pure de Druide

Laisser fondre son stress dans un bon bain chaud, se faire chatouiller les orteils par des nuages de mousse… quel plaisir ! Pourtant, pour les peaux sensibles, un bain moussant peut être une véritable torture : certains produits peuvent brûler les peaux eczémateuses et les parfums synthétiques peuvent assécher encore une peau déjà sèche. Mais, heureusement, grâce à Druide, le bonheur est à portée de bain… En effet, l'entreprise a élaboré une gamme de soins corporels spécialement adaptée aux peaux sèches et ultrasensibles, qui souffrent d'eczéma, d'allergies ou qui sont sujettes aux irritations : la gamme Pur & Pure. Comme tous les produits de Druide, ces soins tirent leurs bienfaits de la nature et portent le sceau de la garantie Druide : pas de produit irritant, pas d'allergène, pas de colorant, pas d'agent de conservation synthétique, pas de trace de blé, de soja ou de noix.

Pour épidermes délicats

À la base de la gamme Pur & Pure : l'extrait de trèfle rouge. Riche en isoflavones, c'est un puissant antioxydant et il possède également des propriétés anti-inflammatoires, anticoagulantes et purifiantes. Selon les produits – la gamme compte un lait corporel, un shampooing, un revitalisant, un savon, un gel douche et un bain moussant –, on profite aussi des vertus du beurre de mangue, de la protéine de riz ou de l'extrait d'huile d'olive, entre autres. De plus, comme aucune huile essentielle n'entre dans leur composition, les produits Pur & Pure sont inodores et peuvent, de ce fait, convenir aux épidermes les plus délicats. Et puis, rien ne vous empêche d'y ajouter l'huile essentielle de votre choix, si vous savez que votre peau la tolère et si vous voulez profiter de ses bienfaits particuliers : lavande pour un effet relaxant ou bergamote pour un effet énergisant. Une expérience olfactive personnalisée, au gré de votre humeur !

Pour le bien de votre peau et de la planète

Créée en 1979 par Alain Renaud, l'entreprise Druide est aujourd'hui un chef de file dans son domaine. Distribués en Amérique du Nord, en Europe et en Asie, ses produits sont reconnus mondialement parce qu'ils sont conçus dans un respect total de l'environnement et des êtres humains. Non testés sur les animaux, ils sont garantis écologiques, ce qui veut dire que toutes les opérations de fabrication et d'approvisionnement sont contrôlées et certifiées par Écocert, un certificateur indépendant reconnu par les autorités dans 86 pays. Les produits comme les contenants sont hautement recyclables. De plus, la compagnie encourage le commerce équitable en soutenant des fermes écologiques et des associations environnementales. Autre bon point : Druide ne fait pas de campagnes de publicité conventionnelles dans les médias, mais priorise plutôt la recherche, le développement et l'amélioration de ses produits. Pour faire du bien à votre peau, tout en faisant du bien à la planète et en participant à la construction d'une société plus humaine.

Pointe-Claire • www.druide.ca

Peau douce

Le savon artisanal des Soins Corporels l'Herbier

Savons, gels, huiles et baumes à massage, soins du corps et du visage, sels de bain, baumes à lèvres, argile et boue marine, onguents réparateurs… Les produits proposés par Les Soins Corporels l'Herbier allient les bienfaits d'ingrédients du terroir cultivés de manière biologique à ceux de produits exotiques, comme le beurre de karité, le beurre de cacao, le café, le cacao en poudre et le sucre de canne, certifiés bio, pour le plaisir de votre peau. Exfoliant au sucre d'érable, masque au chocolat biologique, crème au jasmin et pamplemousse, savon aux algues sauvages acadiennes, savon à l'argile de la baie de Manicouagan, savon à l'érable… Le choix est grand pour dorloter notre épiderme !

Fabriqués avec respect

Les Soins Corporels l'Herbier fabrique ses produits avec respect. Tout d'abord, respect de la nature et de l'environnement : l'entreprise utilise des produits qui ne contiennent pas de pesticides ou d'herbicides, et qui sont biodégradables et biologiques. Ensuite, respect pour le corps et pour les êtres humains : les produits sont équitables, l'entreprise privilégie les produits qui proviennent de producteurs locaux ou de petites coopératives, et aucun produit chimique nocif, comme le paraben ou les colorants artificiels, n'est ajouté.

Le souci de la perfection

Les produits des Soins Corporels l'Herbier sont faits à la main, de manière artisanale, dans le joli village de Mont-Saint-Grégoire, où l'entreprise s'est installée en 2005. Dire qu'au départ, c'est dans la cuisine de sa maison de campagne que la fondatrice concoctait ses recettes ! En effet, inspirée par la nature qui l'environnait, Guylaine Audet, naturopathe de formation, a commencé chez elle ses expérimentations à base de fleurs sauvages. Aujourd'hui, la renommée de ses produits est telle qu'on peut se les procurer aux quatre coins du Québec.

Mont-Saint-Grégoire • www.lessoinscorporelslherbier.com

Délice caprin

Le savon au lait de chèvre Domaine de la Chevrottière

À Dunham, au détour d'un petit chemin, vit un petit troupeau de chèvres nubiennes. Ces mignons animaux gambadent dans un endroit idyllique, sur une jolie ferme à côté d'une magnifique érablière. En plus de se laisser doucement caresser et de bêler gentiment, elles ont la bonne idée de donner leur lait. Et les propriétaires du domaine de la Chevrottière ont, eux, la bonne idée de se servir des propriétés adoucissantes et hydratantes de ce lait pour confectionner un savon délicat, et bien d'autres choses encore…

Fabrication artisanale

Les savons du domaine de la Chevrottière sont fabriqués à base de lait de chèvre entier et d'huiles végétales pures (huile d'olive extra vierge, huile d'amandes douces, huile de coco, huile de palme, huile de germe de blé, huile de soya et cire d'abeille) auxquels on ajoute des herbes et des huiles essentielles, aux odeurs délicates. On propose, entre beaucoup d'autres, des senteurs de muguet, de tilleul, de lavande, de bleuet sauvage et d'avoine, sans oublier un très frais mélange appelé sous-bois. Ces savons sont riches en vitamines, en protéines, en sels minéraux et en oligoéléments. Ils ne dessèchent pas la peau grâce aux vertus du lait de chèvre et sont donc recommandés pour les peaux sensibles.

Le domaine

Pour remercier ces gentilles chèvres d'avoir participé à la douceur incomparable de votre peau, vous pouvez leur rendre visite et en profiter pour faire le tour de leur domaine : vous balader dans l'érablière, jouer avec chèvres, chevaux, chevaux nains et daims, dévaliser la boutique, où, en plus des savons, vous découvrirez les autres spécialités de la maison. Tout d'abord, les soins pour le corps : toute une gamme de produits cosmétiques à base de lait de chèvre (de la lotion hydratante au shampoing), des baumes à lèvres à la cire d'abeille et une huile pour massage aux vertus, paraît-il, aphrodisiaques... Sans oublier les petites douceurs : miel et produits de l'érable.

Comme un grand chef

Les soins pour les mains de Fruits et Passion

Vous êtes un accro d'*À la Di Stasio*, les recettes de Mario Battali n'ont plus de secret pour vous et vous songez à vous lancer dans des expériences de gastronomie moléculaire. Votre cuisine possède les instruments les plus simples comme les plus saugrenus, pour réussir tous les plats, de la soupe à l'oignon au fondant au chocolat. Autocuiseur, canneleur, écailleur, zesteur, mandoline et cul-de-poule remplissent vos tiroirs et vos placards… Pourtant, sur votre comptoir, entre votre autel à Ferran Adria et la bible de Jehanne Benoît, il manque quelque chose… Non, une cuisine de chef ne sera jamais complète sans les soins pour les mains de la gamme Cucina, de Fruits et Passion. En effet, comment avoir les doigts habiles d'un grand chef s'ils sont gercés et brûlés par tant d'expérimentations ?

Prenez soin de vos instruments !

Vous prenez un soin maniaque de votre batteur sur socle, mais vous négligez trop souvent vos instruments les plus utiles : vos mains ! Un must, donc, dans votre cuisine : la crème régénératrice Cucina. Grâce à l'huile d'olive (qui n'est pas que bonne pour les salades !), votre peau est hydratée en profondeur. L'extrait de feuilles d'olivier tonifie la peau et aide à soigner brûlures et coupures. Plusieurs parfums sont offerts, que vous pouvez choisir en fonction des arômes qui s'échappent de vos fourneaux : coriandre et olivier, figues et herbes fraîches, fleur de zucchini et truffe, gingembre et citron de Sicile, orange sanguinelli et fenouil, zeste de lime et cyprès. La gamme de produits pour la cuisine Cucina, de Fruits et Passion, comporte également savons, beurre nourrissant, aromates d'ambiance, bougies et huiles parfumées.

..... *Musique*

Swinguez votre compagnie !

Il ne suffit pas d'entendre la musique,
il faut encore la voir.

(Igor Stravinsky)

« Swingue la bacaisse ! »

Les cuillères musicales Caron-L'Écuyer

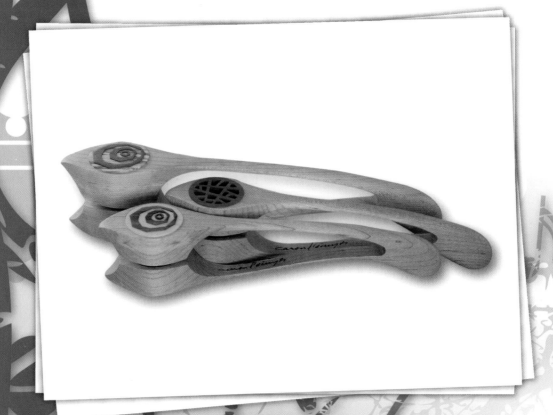

Saint-Placide

$\frac{7}{8}$

L'ébéniste et l'érable

C'est près du lac des Deux-Montagnes, à Saint-Placide, que Louis-Georges L'Écuyer, artisan-ébéniste, fabrique depuis près de vingt ans ses fameuses cuillères musicales. L'érable est le bois idéal pour ce type d'instrument : très résistant, il ne craint pas les joueurs les plus intempestifs et, en plus, il a du ressort, qualité importante lorsqu'on veut faire swinguer les cuillères ! Louis-Georges L'Écuyer choisit et coupe lui-même le bois destiné aux différents modèles, pour des sonorités et des formes diverses, qu'il offre à tous les mordus de cet instrument jouissif.

De grandes voyageuses !

Grâce au tourisme international, les cuillères musicales ont essaimé partout dans le monde : elles sont un peu, à leur mesure, des ambassadrices culturelles du Québec ! Donc, si un jour vous vous égarez dans les rues de Beijing ou entre les dunes sablonneuses du Sahara et que, par pur hasard, vous entendez le timbre familier de cet instrument, vous pourrez alors vous exclamer : « Ah ! Ce sont les cuillères musicales Caron-L'Écuyer ! »

Un son unique

Les guitares Boucher

Berthier-sur-Mer
www.guitareboucher.com

Les plus grands en sont tombés amoureux : Patrick Norman, Richard Séguin, Francis Cabrel, Joni Mitchell, Michel Rivard, Robert Charlebois, Patrick Bruel, Zachary Richard, Ariane Moffatt, Daniel Bélanger, Garou, France D'Amour, Jean-Pierre Ferland, Lynda Lemay… la liste est longue. Fabriquée entièrement à la main dans un atelier de Berthier-sur-Mer, près de Montmagny, la guitare Boucher possède un son unique, puissant, dynamique, tridimensionnel, avec beaucoup de projection, de profondeur, de volume, de clarté et riche en harmonique, et un « sustain » impressionnant.

Son secret

La sonorité incroyable des guitares Boucher est le legs de Norman à son fils Claude, qui a aujourd'hui repris le flambeau. C'est en 1968 que Norman Boucher, un ébéniste hors pair, décide de fabriquer sa première guitare. Il se base sur un modèle Martin, avec un barrage en X sous la table d'harmonie et une forme de caisse de type « dreadnought ». La fixation de son manche est innovatrice pour l'époque : il est boulonné et sans talon. La table d'harmonie est exceptionnelle, grâce à l'essence de bois utilisée : l'épinette rouge. Pour une table d'harmonie, on recherche des bois dits « de résonance », qui offrent un très bon rapport rigidité-faible masse, afin de favoriser la propagation des vibrations et afin de permettre une bonne dynamique. Toutes les guitares Boucher, quelle que soit l'essence de leur caisse, possèdent une table d'harmonie en épinette rouge des Adirondacks, provenant d'arbres âgés entre 200 à 450 ans. C'est d'ailleurs chez eux que se fournissent les plus grands fabricants de guitares du monde, comme Martin et Bourgeois.

Fierté maskoutaine

Les orgues Casavant Frères

Saint-Hyacinthe
www.casavant.ca

C'est à Saint-Hyacinthe que se trouve la plus célèbre et la plus importante maison de facture d'orgue au Canada. L'entreprise Casavant Frères, qui compte plus de 120 années d'existence, est, depuis ses débuts, synonyme d'excellence dans le domaine. À l'origine de cet établissement, l'un des plus respectés en Amérique du Nord, un homme, Joseph Casavant, le premier facteur d'orgue d'importance né au Canada, et ses fils, Claver et Samuel. Les ateliers de la maison se trouvent aujourd'hui au même emplacement que le modeste atelier original, même si la superficie a grandement augmenté.

Une réputation mondiale

La réputation des orgues Casavant ne s'est pas fait attendre. Dès les tout débuts de l'entreprise, fondée en 1879, de grandes églises font appel aux frères Casavant. Ainsi, en 1880, la chapelle Notre-Dame de Lourdes de Montréal, au coin des rues Berri et Sainte-Catherine, se dote du premier orgue signé Casavant Frères. Puis, les facteurs se voient confier la commande d'un orgue monumental pour la basilique Notre-Dame de Montréal, instrument que les frères surnomment leur «morceau de roi». Dès lors, la renommée de la maison se met à voyager au delà des frontières du Québec. On ne compte plus les églises et les salles de concert qui possèdent un orgue Casavant. Déjà dans les années 1920, on en voit aux États-Unis, par exemple à l'Orchestre symphonique de Detroit et à la synagogue Emmanu-El de New York, mais aussi en France, au Japon et au Zimbabwe. Aujourd'hui, c'est partout dans le monde que l'on reconnaît la valeur de la maison. Et partout, on en vante les mérites : «Ce qu'un orgue devrait être», «Les meilleurs facteurs d'orgue du monde», «Un son plein de poésie, d'énergie, de force et de relief»… les éloges pleuvent. Donc, si vous avez toujours rêvé de posséder un orgue, vous savez où aller !

..... *Sports*

Attache
ta tuque !

Le sport ne fait pas vivre plus vieux,
mais fait vivre plus jeune.

(Anonyme)

Dans le vent !

Wallaby Boomerangs

Wallaby Boomerangs fabrique le nec plus ultra en matière de… boomerangs ! Encore peu connu du grand public, ce jeu d'adresse, qui est aussi un véritable sport, serait parmi les plus anciens de l'histoire de l'humanité. On dit même que des archéologues ont découvert un boomerang datant de 15 000 ans ! Aujourd'hui, grâce à un passionné, Stéphane Marguerite, c'est à Montréal que l'on trouve la crème de la crème des boomerangs. Wallaby Boomerangs est une petite entreprise artisanale qui conçoit et fabrique à la main des boomerangs reconnus mondialement pour leur fiabilité, leur durabilité et leur longévité. Sans oublier l'originalité de leur design, qui peut aussi bien être la forme d'une étoile à trois pointes que celle d'un «V». Ils sont fabriqués à partir de deux matériaux écologiques : le bouleau finlandais, un bois aussi résistant que légers et, plus récemment, en contreplaqué de bambou, utilisé de cette façon pour la première fois au monde.

Leurs motifs ? Ils s'inspirent de la culture et des symboles des peuples aborigènes d'Australie, les inventeurs du boomerang.

Initiez-vous !

Stéphane Marguerite conçoit des boomerangs depuis 1981. Ancien capitaine de l'équipe de France de boomerang, il est depuis 1994 capitaine de l'équipe canadienne. Sa mission : faire connaître et aimer ce sport au grand public. Entre autres activités, il fait des démonstrations de lancer dans les centres de loisirs et de plein air, et il propose des ateliers de fabrication de boomerang ou d'initiation à l'art du lancer. Ce spécialiste sait ce qui fait un boomerang parfait. Tout d'abord, sa précision. Un boomerang n'est pas un jouet, mais un article de sport haut de gamme, construit selon des normes et des règles. On choisit son modèle selon le vent, selon la manière de lancer, le type de vol recherché. Ce qu'on veut ? Qu'il puisse voler sur au moins 20 mètres avant de revenir avec précision et douceur dans notre main… Oui, c'est de l'art !

Montréal
www.wallabyboomerangs.com

Fine pointe de la technologie

La raquette à neige Faber & cie

Faber & cie est une entreprise plus que centenaire. Depuis sa création en 1870 par Noé Sioui et sa femme Célide Gros-Louis, elle est passée de génération en génération pour se retrouver aujourd'hui chef de file de l'industrie de la raquette à neige. L'entreprise gère maintenant une cinquantaine d'employés et possède des équipements spécialisés pour créer des raquettes toujours à la fine pointe de la technologie. C'est ainsi que Faber & cie est maintenant le plus gros producteur mondial dans ce domaine. Et tout ça depuis Loretteville! Les fondateurs wendakes seraient certainement impressionnés de voir l'ampleur qu'a pris leur petite entreprise.

La raquette : un sport à redécouvrir

Si le mot «raquette» ne vous rappelle qu'un vague souvenir d'enfance, aucune importance car de toute façon vous devez oublier tout ce que vous savez : la raquette, aujourd'hui, c'est un autre monde, un monde créé par Faber & cie, qui propose un vaste choix de raquettes à neige, pour l'amateur comme pour le professionnel. Vous ne le saviez peut-être pas, mais il y a un type de raquette pour chaque type de paysage. Voulez-vous explorer la nature en forêt? Préférez-vous la randonnée en haute montagne ou allez-vous vous promener sur un sentier balisé? Et les conditions de neige, comment seront-elles? Tous ces renseignements sont importants pour choisir la raquette la mieux adaptée à vos besoins. Courtes, longues, étroites ou larges, les experts de Faber & cie innovent pour offrir des raquettes toujours plus performantes.

Loretteville
www.fabersnowshoes.com

Un design aérien

Le vélo Sonix Louis Garneau

Le Sonix est tout ce que vous avez toujours rêvé en matière de vélo. Son design est simple et aérien, et il est fabriqué en fibre de carbone pour une légèreté optimale. Il est l'idéal pour la compétition comme pour le cyclotourisme. Ses particularités ? Son cadre monocoque au poids parfaitement balancé et sa technologie Exo-nerv, qui contrôle la rigidité, quelles que soient les circonstances : en ligne droite, en tournant à petite vitesse comme à grande vitesse. Ce qui veut dire que le vélo Sonix est un véritable plaisir à conduire… même en montant la côte la plus raide !

Pédaler comme un champion

Le Sonix se décline en plusieurs modèles et s'adresse donc autant au professionnel qu'à l'amateur averti. D'ailleurs, le champion canadien David Veilleux ne tarit pas d'éloges pour ce vélo qui lui a permis de décrocher son titre : «La technologie de nervure Exo-Nerv exclusive à Louis Garneau contrôle précisément la rigidité des cadres sans ajouter de poids au vélo, ce qui rend le Sonix à la fois léger, explosif et confortable. La balance parfaite!»

Une gamme pour gagner

Louis Garneau est un ancien champion cycliste canadien en poursuite individuelle. En 1984, il participe même aux Jeux olympiques de Los Angeles. Pas de doute, les vélos, il connaît! Aujourd'hui, son entreprise en fabrique une gamme impressionnante, pour tous les goûts et toutes les bourses, sans oublier vêtements de sport, casques et accessoires de vélo et de patinage. Les produits Louis Garneau ont été adoptés par l'équipe cycliste canadienne, l'équipe de cyclistes Bouygues-Télécom participant au tour de France, les champions canadiens David Veilleux et Mark Breton et l'équipe cycliste professionnelle américaine Jittery Joe's Pro Cycling Team.

Louis Garneau
www.louisgarneau.com

Tout pour le cycliste

Les vélos Marinoni

La collection Marinoni est la solution parfaite à tous vos besoins en matière de cyclisme. Recherche, développement, technologie, confort : tout a été mis en œuvre pour combler le cycliste en vous. Sur mesure ou non, en acier, aluminium, titane ou carbone, avec pédalier double, triple ou compact, avec roues traditionnelles ou spécialisées, vous trouverez à coup sûr le modèle idéal aux couleurs de votre choix.

Considéré comme un des meilleurs artisans du continent dans le milieu cycliste, Giuseppe Marinoni a donné son nom à sa compagnie, à ses vélos. Celui qui a dominé le cyclisme québécois jusqu'au début des années 70 a par la suite contribué à donner au Québec une réputation enviable dans le créneau de la bicyclette haut de gamme.

Avec son épouse Simone, non seulement dirige-t-il une entreprise prospère basée à Lachenaie, mais il met également la main à la pâte et peint des vélos chaque jour. Fiers de leur production annuelle de 1300 à 1500 vélos, les Marinoni refusent de grandir. «On ne veut pas faire un vélo qu'on prend sur une tablette en Chine et qui vient en trois formats comme une pizza ! lance Simone. Nous sommes tout le contraire de ceux qui veulent en faire toujours plus et qui souhaitent envahir le marché. »

Marinoni
www.marinoni.qc.ca

Pédalez avec style

Le vélo chopper Hannan Customs

Vous aimez passer inaperçu, vous fondre dans une foule anonyme ? Eh bien ! empruntez le vélo de votre grand-mère ! Si, au contraire, vous aimez attirer l'attention, si vous voulez être le plus cool du quartier, si vous voulez que l'on vous regarde passer la bouche ouverte de convoitise, allez faire un tour chez Hannan Customs. Depuis 2005, l'entreprise québécoise fabrique des vélos inspirés par les motos choppers. Les cadres en acier inoxydable sont soudés à la main et la plupart des pièces sont fabriquées et conçues par Hannan Customs. Chaque modèle peut être personnalisé à votre guise. Siège, fourche à suspension, phares, tout peut être stylisé et adapté à vos goûts. Les roues peuvent même être usinées à l'image de votre logo ! Votre imagination est la seule limite.

Équipés pour rouler !

Les vélos choppers Hannan Customs sont si particuliers, ils sortent tellement de l'ordinaire qu'ils sont souvent utilisés à des fins promotionnelles. Mais ils sont conçus pour rouler ! Même s'ils possèdent une roue arrière montée d'un pneu de moto de 300 mm, ils peuvent se rendre partout où les vélos sont autorisés et, malgré leur forme allongée, ils se conduisent facilement. Ils sont fonctionnels et équipés pour rouler en pente ou sur une route plane. Ils ont plusieurs vitesses et des freins à disque pour descendre les pentes en toute sécurité. Alors, qu'attendez-vous ?

www.hannancustoms.ca

..... Loisirs

Lâche ton fou !

Quand on ne travaillera plus les lendemains des jours de repos, on aura fait un grand pas dans la civilisation des loisirs.

(Pierre Dac)

Un univers à part

Le Cirque du Soleil®

Assister à un spectacle du *Cirque du Soleil*® , c'est pénétrer dans un monde différent. La musique, tantôt survoltée, tantôt lyrique, transporte. Les acrobaties émerveillent. Les éclairages apportent une aura de magie et les costumes éblouissent. Depuis plus de 20 ans, le *Cirque du Soleil*® invente des spectacles époustouflants qui mêlent cirque, danse contemporaine et théâtre. Aujourd'hui, c'est une entreprise de plus de 3500 employés, c'est près de quinze spectacles un peu partout sur la planète et, surtout, c'est un style inimitable. C'est que le *Cirque du Soleil*® a réinventé le cirque. Un cirque sans animaux, un cirque où la mise en scène, les décors, les costumes et la musique sont pratiquement aussi importants que les acrobates, les mimes, les clowns et les cracheurs de feu. Des spectacles empreints d'une magie, d'une énergie et d'une poésie incroyables.

À la conquête du monde

Rares sont les pays qui ne voient pas passer le chapiteau du *Cirque du Soleil*® . De Sao Paulo à Melbourne en passant par Tokyo, Londres, San Diego, Lisbonne ou Ottawa, le *Cirque du Soleil*® semble être partout à la fois. En effet, le Cirque a huit spectacles de tournée : Saltimbanco, *Alegría*™, *Quidam*™, *Dralion*™, *Varekai*™, *Corteo*™, DELIRIUM et KOOZA™. En plus, d'autres spectacles sont installés dans des salles en permanence. Il vous faudra donc vous rendre à Las Vegas pour vous laisser époustoufler par *Mystère*™, *O*™, *Zumanity*™, *KÀ*™ et sa dernière création, *LOVE* ™. Orlando a également la chance d'avoir un spectacle permanent, *La Nouba*™, privilège qu'auront bientôt également Tokyo et Macao. Malgré son succès planétaire, la compagnie a toujours son siège social à Montréal.

Montréal
www.cirquedusoleil.com

Réalisme magique

Le coffret de Fred Pellerin
Éditions Planète rebelle

Fred Pellerin est sans conteste le conteur québécois de l'heure. On aime son imaginaire farfelu, sa façon de jouer avec les mots, ses histoires truculentes. Avec lui, la langue explose, la réalité se teinte de magie et le paisible – jusqu'à maintenant !– village de Saint-Élie-de-Caxton, où il est né, devient le théâtre des aventures d'une pléthore de personnages bigarrés. Fred Pellerin dit s'être inspiré d'histoires glanées çà et là pour créer son univers sympathique et délirant. Légendes mystérieuses, tranches de vie teintées de réalisme magique, sympathiques «menteries»… le désormais mythique village mauricien est un monde incontournable.

Les Contes de village

Fred Pellerin, c'est la magie de l'oralité. Alors, si on n'a pas eu la chance de l'entendre en spectacle, c'est sur CD qu'il faut le découvrir. Les Éditions Planète rebelle ont réuni dans un coffret trois livres-CD des spectacles du conteur. Tout d'abord, on y trouve *Dans mon village, il y a belle Lurette* (2001), où l'on suit la belle Lurette, née d'un lingot d'or, dans une suite de légendes mystérieuses, puis *Il faut prendre le taureau par les contes!* (2003), où l'on découvre un homme qui avait le dos large, et finalement *Comme une odeur de muscles* (2005), où le conteur nous parle d'Ésimésac Gélinas, l'homme le plus fort du monde de Saint-Élie-de-Caxton. En prime, les Éditions Planète rebelle ont glissé dans le coffret une carte nous menant à la découverte de cette légende…

Montréal
www.planeterebelle.qc.ca

Des jeux pour apprendre

La collection Foin-Foin de Gladius

Devant le raz-de-marée des jouets provenant d'Asie, il est rafraîchissant de dénicher des compagnies qui conçoivent et fabriquent leurs produits au Québec. C'est le cas de l'entreprise Gladius, qui propose une grande variété de jeux de société et qui, depuis sa création en 1993, s'est taillé une place enviable sur le marché. Aujourd'hui, ses jeux se retrouvent également sur les tablettes de plusieurs magasins en France, en Belgique et en Italie, et ils sont même traduits en hollandais. En plus d'être éducatifs, les jeux Gladius sont variés et exploitent une foule de personnages connus des enfants comme ceux des films *Madagascar*, *Nos voisins les hommes* et *Shrek*, pour n'en nommer que quelques-uns.

Le fermier Foin-Foin

Note coup de cœur : le fermier Foin-Foin, un bonhomme souriant portant salopette et chapeau de paille, et qui vit sur une ferme entouré d'animaux. Il est le personnage central de plusieurs jeux de la compagnie Gladius. Par exemple, dans le jeu *Cherche et trouve*, l'enfant doit retrouver des images dissimulées sur des planches où sont dessinées des scènes de la vie à la ferme de Foin-Foin. Un jeu qui développe sa concentration et son acuité visuelle. Quant à *Cache-cache à la ferme*, c'est un jeu de mémoire et de hasard où l'enfant doit se représenter des objets mentalement et qui lui permet d'accroître sa mémoire visuelle. La collection Foin-Foin propose également un jeu de Bingo, un jeu de Domino et un jeu de l'âne « amélioré », qui s'appelle *Géraldine la vache*. De quoi s'amuser tout en apprenant tous les jours ! Car, pour reprendre une citation de Montaigne que Gladius a fait sienne : « Le jeu doit être considéré comme l'activité la plus sérieuse des enfants. »

Québec
www.gladius.ca

Un grand cru !

Jeu questionnaire sur le vin Bacchus

Le jeu Bacchus est un incontournable pour tout amateur de vin qui se respecte. Le but : aller entreposer ses trois bouteilles de vin au château. On avance les pions-bouteilles sur la planche de jeu à coups de bonnes réponses à des questions sur l'univers du vin. La fabrication, l'histoire et l'évolution du vin sont les thèmes touchés par plus de 500 questions. Un exemple : «Quel cépage unique est utilisé dans l'élaboration du beaujolais ? Merlot, gamay, pinot ou grenache ?»* Les questions s'adressent autant au néophyte qu'à l'amateur éclairé, grâce à différents niveaux de difficulté. Un jeu de société éducatif, en plus d'être divertissant et original.

Le concepteur

Jean-Pierre Brunelle a mis trois ans à développer son projet, qui n'était au départ qu'un hobby. C'est sans doute pendant une de ses tournées des vignobles de France, d'Italie, du Chili, du Portugal ou de Californie que cet agent de bord amoureux du vin en a eu l'idée… Bacchus est entièrement fabriqué au Québec. Jean-Pierre Brunelle et le graphiste sont montréalais, l'imprimeur se trouve dans Lanaudière et le sculpteur qui fabrique les pions-bouteilles en bois habite la région de Sherbrooke. «Un produit du terroir!», comme se plaît à le décrire son concepteur.

* Le saviez-vous ? Il s'agit du gamay.

Montréal
www.bacchuslejeu.com

Doux doudous...

Les poupées de chiffon Raplapla

Trouver le parfait doudou, ce n'est pas facile, surtout que votre petit ange ne s'attachera pas forcément à celui que vous aurez choisi pour lui… À moins que ce doudou ne soit fabriqué par Érica Perrot! Ses poupées Raplapla, c'est le coup de cœur assuré pour les enfants… et leurs parents! Fabriquées entièrement en tissu, elles sont plates et toutes douces, et ressemblent à des dessins d'enfants. Avec leurs longs cheveux ébouriffés ou leurs bottes en fourrure, elles sont jolies, modernes, originales, rigolotes… et elles ont chacune une forte personnalité!

À collectionner

Pour vous aider à faire un choix, vous trouverez sur le site Web de l'entreprise les traits de caractère de chacune, ce qu'elles font, ce qu'elles aiment… Les poupées Raplapla habitent un peu partout sur la planète : Mukwa est facteur à Montréal, Sandra accorde des pianos à Buenos Aires et Carlos est fleuriste à Varsovie. Et elles sont toutes plus gourmandes les unes que les autres : Tim raffole des choux à la crème, Angèle craque pour le thé vert avec beaucoup de miel et Léa mange du beurre demi-sel à la petite cuillère. Olootee, Paul, Lison et leurs copains ont une chose en commun : un sourire fendu jusqu'aux oreilles.

La créatrice

Formée en design de mode, Érica Perrot a travaillé plusieurs années comme couturière pour le théâtre avant de lancer sa ligne de jouets en tissu. En plus de ses poupées, en séries limitées, elle propose des doudous-animaux – éléphant, poule, cochon, baleine, vache et tortue – colorés et attachants. Les jouets Raplapla sont fabriqués à Montréal.

Montréal
www.raplapla.com

Féerie de Noël

Casse-Noisette des
Grands Ballets Canadiens de Montréal

Crédit photo : John Hall Chorégraphe : Fernand Nault Danseurs : Cally Robinson, Jesus Corrales

Le ballet *Casse-Noisette* est inspiré du conte d'Hoffman. En quelques mots, il s'agit d'une histoire fantastique où magie, féerie, bonheur et rêve transportent le spectateur dans un monde imaginaire. Pour Noël, la petite Clara reçoit un casse-noisette de la part de son oncle, le docteur Drosselmeyer, dont on dit qu'il serait un peu magicien... En effet, la nuit, le jouet de Clara prend vie et, après que celle-ci lui eut sauvé la vie lors d'une bataille avec le roi des Rats, Casse-Noisette emmène la petite fille au merveilleux royaume des friandises, pour assister à une grande fête organisée par la fée Dragée.

Un classique du temps des fêtes

Le ballet *Casse-Noisette* est sans conteste un grand classique du temps des fêtes. Depuis 1964, Les Grands Ballets Canadiens de Montréal présentent la chorégraphie de Fernand Nault sur la grande musique de Tchaïkovski. Un pur enchantement qui ravit année après année les jeunes et les moins jeunes qui ont gardé un cœur d'enfant. La vision de Fernand Nault est imprégnée de rêve, grâce à une chorégraphie virevoltante, originale et flamboyante, à des décors magiques et plus de 90 danseurs sur scène, dont beaucoup d'enfants. Un spectacle magistral à voir et à revoir en famille.

Montréal
www.grandsballets.com

..... *Papeterie*

J't'en passe un papier !

Le papier parle quand les gens se taisent.

(Anonyme)

Souhaitez un monde plus propre

Les cartes Vert tendre

La prochaine fois que vous voudrez souhaiter une bonne et heureuse année à votre grand-tante ou que vous voudrez envoyer des remerciements à votre belle-sœur, faites-le de manière éco-responsable. Car toutes les occasions sont bonnes pour faire un petit geste pour épargner notre planète. L'industrie du papier, on le sait, est très polluante. La solution que

propose la compagnie québécoise Vert Tendre : des cartes de souhaits imprimées sur du papier contenant 100 % de matières recyclées post-consommation, qui ne contient pas de chlore, pas d'acide, et qui est certifié par le Forest Stewardship Council, un organisme qui a comme mission de protéger nos forêts. De plus, Vert Tendre donne une partie de ses profits à une bonne cause. Cette année, c'est à Québec Transplant que va une partie de vos achats.

Talents québécois

Les cartes de souhaits Vert Tendre sont créées à partir d'œuvres d'artistes québécois. Illustration, peinture, photographie… plusieurs médiums sont utilisés pour des cartes de styles divers. Des peintures de paysages enneigés ou de rues de Montréal, des illustrations représentant de rigolos petits pères Noël, des photographies de fleurs aux couleurs vives, on est sûr de trouver quelque chose qui plaise à son destinataire ! Pour des vœux tendance et écolo.

Québec
www.vertendre.com

Objets de tous les jours revisités

Schleeh Design

Depuis 2002, Schleeh Design crée, dans son immense atelier sur le bord du canal Lachine, une panoplie de meubles, de sculptures et d'accessoires de toutes sortes. Vases, porte-cartes, bloc-notes, tables basses,

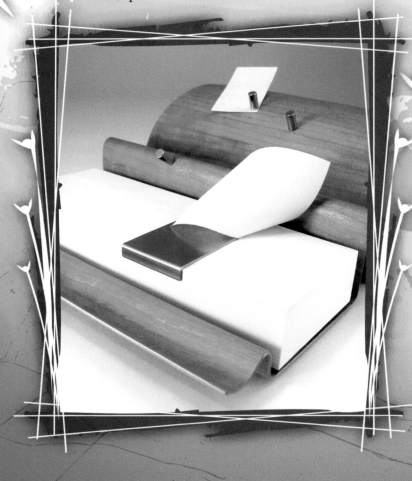

etc. prennent avec eux des allures d'œuvres d'art. Notre coup de cœur ? Le Doodad, un objet qui fera sensation sur votre table de travail. Son allure donnera à votre bureau un côté design et chic tout en lui apportant une touche d'excentricité. Vous pouvez être certain que plus d'une personne vous demandera : «Mmm… c'est très joli, ce truc… Mais qu'est-ce que c'est ?»

Le Doodad

En plus d'être un objet d'art empreint d'une inventivité qui séduit et intrigue ceux qui le voient pour la première fois, le Doodad est fort utile car c'est…un porteur de bloc-notes ! Fait de bois (plusieurs essences sont utilisées, comme le noyer, le cerisier ou l'érable) et sculpté à la main, le Doodad est rehaussé de touches de métal. Sous le bois, une couche de métal le transforme en babillard magnétique : vous pouvez donc y faire tenir des notes en les coinçant avec un petit cylindre en métal aimanté. Une impression de magie qui est sûre de provoquer bien des exclamations ! Par ailleurs, les feuilles de papier longues et minces peuvent être coupées à la longueur désirée grâce à un glissoir de métal. Pas de gaspillage ! Le Doodad est-il une œuvre d'art pratique ou un objet utilitaire aux allures de sculpture ? À vous de décider.

Montréal
www.schleehdesign.com

Un écrin pour votre créativité

Le papier artisanal de la Papeterie Saint-Gilles

La papeterie Saint-Gilles est située dans la magnifique région de Charlevoix, aux Éboulements. La petite entreprise familiale qui compte déjà une quarantaine d'années d'existence est devenue aujourd'hui un économusée. Ce qui veut dire qu'en plus de découvrir les collections de la maison dans la boutique, vous pouvez également visiter l'atelier pour voir les artisans à l'œuvre. Vous connaîtrez

tout sur la fabrication du papier, du défibrage au calandrage, en passant par l'encuvage, le tamisage, le pressage et le séchage ! En plus des papiers créés par la papeterie, fabriqués à 100 % à partir de coton et sans acide, une collection de papiers anciens et contemporains vous fera comprendre un peu mieux l'histoire du papier et toutes les possibilités artistiques qu'offre ce médium.

Bien plus que du papier

Les papiers Saint-Gilles sont bien plus que de simples feuilles. Ils sont inspirants et s'offrent comme un magnifique écrin à votre créativité : ils donnent envie d'y écrire des sonnets, d'y peindre des aquarelles, d'y imprimer des lithographies… on a presque peur de ne pas être à la hauteur ! Textures incroyables, pétales de fleurs et feuilles incorporés à la pâte, dessins en filigrane… Les papiers fabriqués dans l'atelier sont des trésors de finesse et de savoir-faire. La Papeterie Saint-Gilles offre également ensembles à correspondance, faire-part, cartes, porte-photos, décorations de Noël (de superbes angelots et glaçons de papier à suspendre à votre sapin), livres, pochettes porte-documents, bloc-notes, etc.

Charlevoix
www.papeteriesaintgilles.com

Le Carnet d'adresses

ALIMENTATION

Le Bilboquet
1311, avenue Bernard Ouest
Outremont, Québec H2V 1W1
Tél : 514 276-0414

En vente au Bilboquet (1311, avenue Bernard Ouest
et 4864, avenue Sherbrooke Ouest), (Quai des
Convoyeurs (fixe) et sur les quais du Vieux-Port
de Montréal (mobile)).

Boulangerie Niemand
82, avenue Morel
Kamouraska, Québec G0L 1M0
Téléphone : 418 492-1236
Fax : 418 492-6840
Site Internet : www.kamouraska.ca/autres/
              membres/boulangerie.htm

En vente à la Boulangerie Niemand. Vous pouvez
déguster leurs spécialités à base de pain à
La Camarine, 253 avenue Morel, Kamouraska.

La Cabosse d'Or
973, chemin Ozias Leduc
Otterburn Park, Québec J3G 4S6
Téléphone : 450 464-6937, 514 990-5277
Fax : 450 464-9933
Courriel : info@lacabossedor.com
Site Internet : www.lacabossedor.com

En vente à la boutique de la chocolaterie. Vous
pouvez également vous procurer leurs produits
sur leur site Internet.

Campagne & Cie
850 Pierre-Caisse, Suite 400
St-Jean-sur-Richelieu, Québec J3B 7Y5
Tél : 450 349-3282
Fax.: 450 348-3518
Courriel : info@aromefleursetfruits.com
Site Internet : www.floralfood.com

En vente dans les magasins spécialisés. Rendez-vous
sur leur site Internet pour connaître la liste complète
des points de vente.

Canards du Lac Brome
40, chemin Centre
Knowlton, Québec J0E 1V0
Téléphone : 450 242-3825
Fax : 450 243-0497
Courriel : info@canardsdulacbrome.com
Site Internet : www.canardsdulacbrome.com

En vente dans leurs boutiques (40, chemin du Centre,
Knowlton, et 4396, boulevard St-Laurent, Montréal)
ainsi que dans la plupart des supermarchés IGA,
Loblaws, Metro, Provigo et Costco. Rendez-vous
sur leur site Internet pour connaître la liste
complète des points de vente.

Caribbean juice
Montréal, Québec
Téléphone : 514 731-1233
Fax : 514 731-2132
Courriel : info@caribbeanjuice.ca
Site Internet : www.caribbeanjuice.ca

Rendez-vous sur leur site Internet, pour
connaître la liste complète des points de vente.

Cerf de Boileau, Maison du Chevreuil
Pointe-aux-Chênes, Québec
Téléphone : 1 888 983-2082
Courriel : cerfdeboileau@taoco.com
Site Internet : www.cerfdeboileau.com

Vous pouvez vous procurer leurs produits sur leur
site Internet.

Chocolats Geneviève Grandbois
6750, de l'Esplanade, suite 100
Montréal, Québec H2V 4M1
Téléphone : 514 270-4508
Fax : 514 270-3049
Courriel : info@chocolatsgg.com
Site Internet : www.chocolatsgg.com

En vente dans les boutiques Chocolats Geneviève
Grandbois, 162 rue St-Viateur Ouest, Montréal,et au
Marché Atwater, 138, avenue Atwater, Montréal.
Rendez-vous sur leur site Internet, pour connaître
la liste complète des points de vente.

Confiserie Banana
Brébeuf, Québec
Téléphone : 819 429-6289
Courriel : banana@confiseriebanana.com
Site Internet : www.confiseriebanana.com

En vente dans les magasins spécialisés. Rendez-vous
sur leur site Internet pour connaître la liste complète
des points de vente.

Cumberland
295, 14ᵉ Avenue
La Guadeloupe, Québec G0M 1G0
Téléphone : 418 459-3838
Fax. : 418 459-3839
Courriel: cumberlandinc@hotmail.com
Site Internet : www.cumberlandinc.com

En vente sur les lieux de la production et dans
certaines épiceries fines. Vous pouvez également
vous procurer leurs produits sur leur site Internet.

Le Domaine Féodal
1303 rang Bayonne Sud
Berthier, Québec J0K 1A0
Téléphone : 450 836-7979
Fax : 450 836-7551
Courriel : fromageriedomainefeodal@bellnet.ca
Site Internet : www.fromageriedomainefeodal.com

En vente à la fromagerie et dans la plupart des
épiceries et fromageries spécialisées.

Domaine Steinbach
2205, chemin Royal
Saint-Pierre de l'île d'Orléans, Québec G0A 4E0
Téléphone : 418 828-0000
Fax : 418 828-0777
Courriel : info@domainesteinbach.com
Site Internet : www.domainesteinbach.com

En vente à la boutique du Domaine. Vous pouvez
également vous procurer leurs produits sur leur
site Internet.

Ferme Chant-O-Vent
173, rang Rivière Nord
Saint-Esprit, Québec J0K 2L0
Téléphone : 450 839-3726, 450 839-6152
Fax : 450 839-7815
Courriel : info@chantovent.ca
Site Internet : www.chantovent.ca

Veuillez communiquer avec eux par téléphone pour
connaître les points de vente les plus près de chez vous.

Ferme l'Oie d'Or
1851, rang Saint.Louis
Saint-Gabriel-de-Brandon, Québec J0K 2N0
Tél : 450 835-2977
Courriel : info@fermeloiedor.com
Site Internet : www.fermeloiedor.com

En vente à la boutique de la ferme. Rendez-vous sur
leur site Internet pour connaître la liste complète des
autres points de vente au Québec.

La Ferme Tourilli
1541, rang Notre-Dame
Saint-Raymond, Portneuf, Québec G3L 1M9
Téléphone : 418 337-2876
Courriel: artisan@fermetourilli.com
Site Internet : www.fermetourilli.com

Rendez-vous sur leur site Internet pour connaître
la liste complète des points de vente.

La fourmi bionique
5530, rue Saint-Patrick
Montréal, Québec H4E 1A8
Téléphone : 514 769-4246
Fax : 514 769-7802
Courriel : info@lafourmibionique.com
Site Internet : www.lafourmibionique.com

En vente dans les supermarchés et épiceries fines au
Québec et en Ontario ainsi qu'en France, par le site
www.kanata.com. Rendez-vous sur leur site Internet,
pour connaître la liste complète des points de vente.

La Fraisonnée
12, rang 3
Clerval, Québec J0Z 1R0
Tél : 1 866 783-2314
Fax : 1 819 783-2332
Courriel : info@lafraisonnee.com
Site Internet : www.lafraisonnee.com

En vente chez Loblaws, Provigo, Métro et IGA.

Fromagerie 1860 Du village inc.
Téléphone : 1 800 563-3330
Courriel : client@duvillage1860.com
Site Internet : www.duvillage1860.com

En vente dans quelques épiceries et fromageries
spécialisées ainsi que dans quelques supermarchés.

Fromagerie Au Gré des Champs
400 rang St-Édouard
Saint-Jean-sur-Richelieu, Québec J2X 5T9
Téléphone : 450 346-8732
Courriel : gredeschamps@qc.aira.com
Site Internet : www.augredeschamps.com

En vente à la fromagerie, dans certaines épiceries
et fromageries spécialisées ainsi que dans quelques
supermarchés.

Les Fromages de l'Isle d'Orléans
4696, chemin Royal
Sainte-Famille, île d'Orléans, Québec G0A 3P0
Téléphone : 418 829-0177
Fax.: 418 829-2693
Site Internet : www.fromagesdelisledorleans.com

En vente à la fromagerie et dans une vingtaine
de points de vente à Québec et à Montréal.

Fromagerie Fritz Kaiser
459, 4ème Concession
Noyan, Québec J0J 1B0
Téléphone : 450 294-2207
Fax. : 450 294-2249
Site Internet : www.fkaiser.com

En vente à la fromagerie, dans les épiceries et les
fromageries spécialisées ainsi que dans quelques
supermarchés.

Fromagerie Perron
156, avenue Albert-Perron
Saint-Prime, Québec G8J 1L4
Téléphone : 418 251-3164
Sans frais: 1 866 251-3164
Fax.: 418 251-3181
Courriel : infos@fromagerieperron.com
Site Internet : www.fromagerieperron.com

En vente à la fromagerie, dans les épiceries et
fromageries spécialisées ainsi que dans la
plupart des supermarchés.

La Fudgerie
717, boulevard Louis-XIV
Québec, Québec G1H 4M9
Téléphone : 418 622-9595
Fax : 418 622-9779
Courriel : ecrivez@lafudgerie.com
Site Internet : www.lafudgerie.com

En vente à la boutique de la fudgerie.

Gourmet Nantel
2000, Bombardier,
Sainte-Julie, Québec J3E 2J9
Tél : 450 649-1331
Sans frais : 1 877 313-1331
Fax : 450 649-2996
Courriel : info@gourmetnantel.com
Site Internet : http://www.gourmetnantel.com

Rendez-vous sur leur site Internet pour connaître
la liste complète des points de vente.

Havre-aux-glaces
7070, rue Henri-Julien
Montréal, Québec H2S 3A3
Téléphone : 514 278-8696

En vente au Marché Jean-Talon, bar laitier ouvert
à l'année, et au Marché Atwater, ouvert de mai
à l'Action de Grâce.

La Maison d'affinage Maurice Dufour Inc.
1339, boul. Mgr-De Laval
Baie-Saint-Paul, Québec G3Z 2X6
Téléphone : 418 435-5692
Fax : 418 435-6334
Site Internet : www.fromagefin.com

En vente à la fromagerie, ainsi que dans les
épiceries et fromageries spécialisées.

Morin-Daniak chocolatiers
Lac Beauport, Québec
Téléphone : 418 849-1946
Fax. : 1 418 849-4374
Courriel : info@morin-daniak.com
Site Internet : www.morin-daniak.com

En vente dans les épiceries fines du Québec ainsi
qu'en France, en Espagne, en Suisse, en Belgique,
aux États-Unis et à Hawaï. Rendez-vous sur leur site
Internet pour connaître la liste complète des points
de vente. Vous pouvez également vous procurer leurs
produits sur leur site.

Nect'art de fleurs
1020, chemin Kildare (route 348)
Saint-Ambroise, Québec J0K 1C0
Téléphone : 450 725-2218
Fax : 450 752-2228
Courriel : miel@qc.aira.com
Site Internet : www.nectartdefleurs.com

En vente à la boutique Nect'art de fleurs, ainsi que
dans plusieurs boulangeries, pâtisseries, boutiques
souvenirs et épiceries.

Nutra-Fruit
1375 Frank-Carrel local 33
Québec, QC G1N 2E7
Téléphone : 418 687-7704
Fax : 418 687-9902
Sans frais: 888 68R-OUGE
Courriel : info@nutra-fruit.com
Site Internet : www.nutra-fruit.com

En vente dans les épiceries fines au Québec,
au Canada, en Allemagne, en France, en Pologne
et aux États-Unis. Veuillez communiquer avec
eux par téléphone ou par courriel pour connaître
les points de vente les plus près de chez vous.

Rolland Chocolatier
1241, rue Gay-Lussac
Boucherville, Québec J4B 7K1
Téléphone : 450 449-3040 # 2
Fax : 450 449-3025
Site Internet : www.rollandchocolatier.com

Rendez-vous sur leur site Internet pour connaître
la liste complète des points de vente. Vous pouvez
également vous procurer leurs produits sur leur site.

La Tomate
11636, boulevard Rivières des Prairies
Montréal, Québec H1C 1P9
Téléphone : 514 648-0222
Fax : 514 648-6030
Site Internet : www.gouash.com

En vente à la boutique La Tomate, rue de la Roche,
Montréal, ainsi que dans certains supermarchés et
épiceries fines du Québec. Vous pouvez également
vous procurer leurs produits sur leur site Internet
www.tomateonline.com.

Ungava Gourmande
552, rue Bordeleau
Chibougamau, Québec G8P 1A5
Téléphone : 418 748-8114
Fax: 418 748-4676
courriel : vlaprise@tlb.sympatico.ca
Site Internet : www.ungavagourmande.icr.qc.ca

Rendez-vous sur leur site Internet pour
connaître la liste complète des points de vente.

ALCOOL

L'Ambroisie
14 501 Montée Dupuis
Mirabel, Québec J7N 3H7
Téléphone : 450 431-3311
Fax : 450 431-3617
Courriel : info@lambroisie.com
Site Internet : www.lambroisie.com

En vente à la boutique de l'érablière et au Marché des saveurs (marché Jean-Talon, à Montréal).

Le Barbocheux
475, chemin Cap-Rouge
Havre-aux-Maisons, Québec G4T 5C8
Téléphone : 418 969-2114
Fax: 418 969-2173
Courriel : info@bagossedesiles.com
Site Internet : www.bagossedesiles.com

En vente à la boutique et dans certains salons des vins.

Les Brasseurs du Nord
875 Michèle Bohec
Blainville, Québec J7C 5J6
Tél : 450 979-8400
Sans frais : 1 800 979-3733
Fax: 450 979-3733
Site Internet : www.boreale.qc.ca

En vente dans les épiceries, ainsi que dans certains bars, restos et cafés du Québec.

Domaine Pinnacle
150, chemin Richford
Frelighsburg, Québec J0J 1C0
Téléphone : 450 298-1222
Fax : 450 298-1223
Courriel : questions@domainepinnacle.com
Site Internet : www.domainepinnacle.com

En vente dans les SAQ du Québec : www.saq.com.
Rendez-vous sur leur site Internet pour connaître la liste complète des autres points de vente.

La Face Cachée de la Pomme
617, route 202
Hemmingford , Québec J0L 1H0
Téléphone : 450 247-2899 Poste 228
Fax : 450 247-2690
Courriel : boutique@cidredeglace.com
Site Internet : www.cidredeglace.com

En vente dans les SAQ du Québec : www.saq.com.
Rendez-vous sur leur site Internet pour connaître la liste complète des points de vente.

Intermiel
10291, La Fresnière
Mirabel, Québec J7N 3M3
Téléphone : 450 258-2713
Sans frais : 1 800 265-MIEL (6435)
Fax : 450 258-2708
Courriel : contact@intermiel.com
Site Internet : www.intermiel.com

En vente à la boutique Intermiel, ainsi qu'à la SAQ : www.saq.com.

Micro-Brasserie L'Alchimiste
681 Marion
Joliette, Québec J6E 8S3
Téléphone : 450 760-2945 poste: 0
Sans frais : 1 866 758-0626
Fax : 450 760-2946
Courriel: info@lalchimiste.ca
Site Internet: www.lalchimiste.ca

En vente à la micro-brasserie, ainsi que dans plusieurs épiceries, supermarchés et restos-bars au Québec.

Le Petit jardin de l'abeille
1059, Dimock Creek
Maria, Québec G0C 1Y0
Téléphone : 418 759-3027
Fax : 418 759-3020
Courriel : info@jardindelabeille.com
Site Internet : www.jardindelabeille.com

En vente à la boutique, ainsi qu'à la SAQ : www.saq.com.

Le Trou du Diable
412, avenue Willow,
Shawinigan, Québec G9N 1X2
Téléphone : 819 537-9151
Courriel : info@troududiable.com
Site Internet : www.troududiable.com

Rendez-vous sur leur site Internet pour connaître
la liste complète des points de vente.

Vignoble de l'Orpailleur
1086, route 202
Boîte postale 339
Dunham, Québec J0E 1M0
Té. : 450 295-2763
Fax : 450 295-3112
Courriel : info@orpailleur.ca
Site Internet : www.orpailleur.ca

En vente sur le lieu de la production, ainsi
qu'à la SAQ : www.saq.com.

ACCESSOIRES DE CUISINE

Atelier Chaudron
2449, chemin de l'Île
Val-David, Québec J0T 2N0
Téléphone : 819 322-3944
Sans frais : 1 888 322-3944
Fax: 819 322-7237
Courriel : info@chaudron.ca
Site Internet : www.chaudron.ca

Vous pouvez vous procurer leurs produits sur leur
site Internet.

Justenbois
37, chemin Cameron
Bolton-Est, Québec J0E 1G0
Téléphone : 450 292-4848
Fax : 450 292-4949
Courriel : info@justenbois.com
Site Internet : www.justenbois.com

Rendez-vous sur leur site Internet pour connaître la
liste complète des points de vente. Vous pouvez
également vous procurer leurs produits sur leur site.

Marie-France Carrière
7577-B, rue Boyer
Montréal, Québec H2R 2R9
Téléphone : 514 495-4575
Courriel : mfcarriere@videotron.ca
Site Internet : www.mariefrancecarriere.com

En vente à la boutique-atelier. Rendez-vous sur son
site Internet pour connaître la liste complète des
points de vente. Vous pouvez également vous
procurer ses produits sur son site.

Porcelaines Bousquet
L'économusée de la porcelaine
2915, rue Lafrance
Saint-Jean-Baptiste, Québec J0L 2B0
Téléphone : 450 464-2596
Sans frais : 1 866 445-8696
Courriel : bousquetl@sympatico.ca
Site Internet : www.porcelainesbousquet.qc.ca

En vente à la boutique de l'atelier. Rendez-vous sur
leur site Internet pour connaître la liste complète des
autres points de vente au Québec et au Canada.

DÉCORATION

Dapila
3905, rue Clark
Montréal, Québec H2W 1W5
Téléphone/Fax : 514 843-5977
Courriel : dapila@dapila.com
Site Internet : www.dapila.com

Vous pouvez également vous procurer ses produits
sur son site Internet.

Diane Marier Céramique
Site Internet : www.dianemarierceramique.com

En vente chez les galeries dépositaires suivantes :
Autour du pot (42, rue Saint-Jean-Baptiste, Baie-Saint-
Paul, Québec), Boutique Métiers d'art (29, rue Notre-
Dame, Québec, Québec), Guilde canadienne des
métiers d'art (1460, rue Sherbrooke Ouest, Montréal,
Québec), Roche Mère (225, rue Principale Ouest,
Magog, Québec).

Henry Giroux
923-B et 923-C, chemin du Village
Morin-Heights, Québec J0R 1H0
Téléphone : 450 226-7771
Courriel : infos@henrygiroux.com
Site Internet : www.henrygiroux.com

En vente à sa galerie. Vous pouvez également
communiquer avec l'artiste par téléphone si vous
désirez faire l'acquisition d'une de ses œuvres.

Vertige Glass
Téléphone/Fax : 819 295-1109
Courriel : jac.rivard@sympatico.ca
Site Internet : www.vertigeglass.com

En vente dans plusieurs boutiques spécialisées
dont L'Empreinte (272 rue Saint-Paul est, Vieux-
Montréal), Boutique du terroir (Aéroport P. E. Trudeau,
Dorval), Boutique métiers d'art
(29 Notre-Dame, Place Royale, Québec).Vous
pouvez également communiquer avec l'artiste par
téléphone au 450 226-7771 ou par courriel si vous
désirez faire l'acquisition d'une de ses œuvres.

MEUBLES

Cavavin
4575, boulevard Sir-Wilfrid-Laurier
Saint-Hubert, Québec J3Y 3X3
Téléphone : 450 676-6447
Sans frais :1 877 676-6447
Fax : 450 676-5022
Courriel : info@cavavin.com
Site Internet : www.cavavin.com

Rendez-vous sur leur site Internet pour connaître
la liste complète des points de vente au Québec
et dans les grandes villes canadiennes.

Concept Giroux
8501, rue Samuel-Hatt
Chambly, Québec J3L 6V4
Téléphone : 514 527-6989
Sans frais : 1 866 373-BLOC
Courriel : info@conceptgiroux.com
Site Internet : www.conceptgiroux.com

Veuillez communiquer avec eux par téléphone ou
remplir le formulaire sur leur site Internet, si vous
désirez faire l'acquisition de leurs produits.

Les Meubles du Loft
Téléphone : 514 598-1173
Fax: 514 598-8931
Courriel: alain@meublesduloft.com
Site Internet : www.meublesduloft.com

En vente dans les galeries et les boutiques
spécialisées. Rendez-vous sur leur site Internet
pour connaître la liste complète des points de vente.

Meubles Hochelaga
8729, rue Hochelaga
Montréal, Québec H1L 2M8
Téléphone : 514 354-1030
Sans frais : 1 800 357-1030
Courriel : info@meubleshochelaga.com
Site Internet : www.meubleshochelaga.com

En vente à leur boutique.

Meubles Re-No
Atelier et grand magasin
2673, avenue Charlemagne
Montréal, Québec H1W 3S9
Téléphone : 514 255-3311,
Sans frais : 1 800 363-1515
Fax : 514 255-0995
Courriel : info@meubles-reno.com
Site Internet : www.mreno.com

En vente à leur boutique.

Pel International
835, Chemin Joliette
St-Félix-de-Valois
Québec J0K 2M0
Téléphone : 450 889-5564
Sans frais : 1 888 889-5564
Fax : 1 450 889-4636
Courriel : info@pelinternational.com
Site Internet : www.pelinternational.com

En vente dans les magasins spécialisés.
Veuillez communiquer avec eux par courriel
pour connaître les points de vente les plus près
de chez vous.

Sarbacane
Atelier
1754, rue de Ramesay,
Trois-Rivières, Québec
Téléphone : 819 377-9097
Courriel : meproteau@cgocable.ca
Site Internet : www.sarbacane.qc.ca

En vente à l'atelier des artistes (sur rendez-vous seulement) dans des galeries et dans différents points de vente dont à la Galerie Zone Orange (410, rue Saint-Pierre, Montréal).

Sorrentino-Sanche
227 Samuel-Hoyt
Magog, Québec J1X 7P2
Téléphone : 819 868-0094
Fax : 819 868-3094
Courriel : sorrentinosanche@cgocable.ca
Site Internet : www.sorrentinosanche.com

En vente à l'atelier (visite sur rendez-vous seulement).

VÊTEMENTS

L'Angélaine
12 285, boul. Bécancour
Bécancour, Québec G9H 2K4
Téléphone : 819 222-5702
Sans frais : 1 877 444-5702
Site Internet : www.langelaine.com

En vente à la boutique de la chèvrerie. Rendez-vous sur leur site Internet pour connaître la liste complète des points de vente.

Chlorophylle
250 Racine Est,
Chicoutimi, Québec G7H 1R9
Téléphone : 418 549-7512
Fax : 418 549-1219
Courriel : chlorophylle@chlorophylle.net
Site Internet : www.chlorophylle.net

En vente dans les boutiques Chlorophylle. Rendez-vous sur leur site Internet pour connaître la liste complète des autres points de vente au Canada et dans le monde.

Créations Manon Lortie
151, chemin du Fleuve Est
Sainte-Luce-sur-mer, Québec G0K 1P0
Téléphone/Fax : 418 739-4274
Courriel : chapeau@creationsmanonlortie.com
Site Internet : www.creationsmanonlortie.com

En vente à sa boutique (en saison). Rendez-vous sur son site Internet pour connaître la liste complète des autres points de vente au Québec et au Canada.

Harricana par Mariouche
3000, rue Saint-Antoine Ouest
Montréal, Québec H4C 1A5
Téléphone : 514 287-6517
Sans frais : 1 877 894-9919
Courriel : info@harricana.qc.ca
Site Internet : www.harricana.qc.ca

En vente à l'atelier-boutique Harricana. Rendez-vous sur leur site Internet pour connaître la liste complète des points de vente dans le monde.

Kanuk
485, rue Rachel Est
Montréal, Québec H2J 2H1
Téléphone 514 284-4494
Sans frais : 1 877 284-4494
Courriel : info@kanuk.com
Site Internet : www.kanuk.com

En vente à l'atelier-magasin Kanuk et chez les détaillants spécialisés. Vous pouvez également vous procurer leurs produits sur leur site Internet.

Kettö
Boutique Kettö
951, avenue Cartier
Québec, Québec G1R 2R8
Téléphone 418 522-3337
Site Internet : www.kettodesign.com

Atelier Kettö
Téléphone : 418 522-2264

En vente à la boutique et dans plusieurs magasins partout au Québec. Les vêtements et les bijoux sont offerts en exclusivité à la boutique Kettö.

Lili-les-Bains
404, avenue Victoria
Saint-Lambert, Québec J4P 2H9
Téléphone : 450 466-7000
Courriel : info@lililesbains.com
Site Internet : www.lililesbains.com

En vente à la boutique Lili-les-Bains.

Marie Saint-Pierre
404-4035, rue Sainte-Ambroise
Montréal, Québec H4C 2E1
Téléphone : 514 989-0080
Fax: 514 989-0085
Courriel : info@mariesaintpierre.com
Site Internet : www.mariesaintpierre.com

En vente dans les boutiques Marie Saint-Pierre,
Quartier du Musée (2081, rue de la Montagne,
Montréal, Québec), Centre Rockland (3ᵉ étage, Entrée
TOPAZE, 2305, chemin Rockland, Montréal, Québec).
Rendez-vous sur son site Internet pour connaître la
liste complète des autres points de vente au Canada,
aux États-Unis et en Europe.

Myco Anna
615, rue Saint-Vallier Ouest
Québec, Québec G1N 1C6
Téléphone : 418 522-2270
Sans frais : 1 866 330-2270
Fax : 418 522-0814
Courriel : info@mycoanna.com
Site Internet : www.mycoanna.com

En vente à la boutique MycoAnna. Rendez-vous sur
le site Internet pour connaître la liste complète des
autres points de vente au Québec, au Canada, aux
États-Unis et en France.

Quartz Nature
2127, rue de la Province
Longueuil, Québec J4G 1Y6
Téléphone : 450 674-7660
Sans frais : 1 888 281-0014
Fax : 450 674-1021
Courriel : info@quartz-nature.com
Site Internet : www.quartz-nature.com

En vente dans les magasins de plein air, au Québec,
au Canada, aux États-Unis, en Allemagne, en Russie,
au Groenland, en Pologne, en Suède et en Irlande.

Shan
1500, rue Mazurette,
Montreal, Québec H4N 1H2
Téléphone : 450 687-7101
Sans frais : 1 888 687-7101
Fax : 450 687-7106
Courriel : info@shan.ca
Site Internet : www.shan.ca

En vente dans la boutique Shan (2150, rue Crescent,
Montréal, Québec). Rendez-vous sur le site Internet
pour connaître les autres points de vente.

Tricots Godin
600, rue Saint-Anne
Saint-Anne de-la-Pérade, Québec
Téléphone : 418 325-2875
Courriel : admin@tricotsgodin.qc.ca
Site Internet : www.taximode.com

En vente dans les boutiques Taxi (586, rue
Saint-Jean) (392, rue des Forges, Trois-Rivières).
Rendez-vous sur le site Internet pour connaître
la liste complète des autres points de vente.

CHAUSSURES

Aquatalia
Téléphone : 1 888 932-7463
Fax : 514 932-1100
Site Internet : www.aquatalia.com

En vente aux États-Unis, au Canada, à Beijing
(Chine), à Tokyo (Japon) et au Royaume-Uni.
Pour les points de vente, veuillez communiquer avec
eux par téléphone ou par leur site Internet.

Boulet
501, St-Gabriel
Boîte postale 310
Saint-Tite, Québec G0X 3H0
Téléphone : 418 365-3535
Fax : 418 365-3330
Courriel : bouletbo@globetrotter.net
Site Internet : www.bouletboots.com

Rendez-vous sur leur site Internet pour
connaître la liste complète des points
de vente au Québec et dans le monde.

Martino, d'Auclair et Martineau
2277, rue de la Faune,
PO Box 89039, St-Émile
Québec, Québec G3E 1S9
Téléphone : 418 842-1943
Fax : 418 842-7554
Courriel : martino@martinofootwear.com
Site Internet : www.martinofootwear.com

Veuillez communiquer avec eux par téléphone ou par
courriel pour connaître les points de vente.

Nycole St-Louis
822, rue De Saint-Jovite
Mont-Tremblant, Québec J8E 3J8
Téléphone : 819 425-3583
Info et commandes : 1 877 425-6777
Courriel : info@nycolestlouis.com
Site Internet : www.nycolestlouis.com

En vente à sa boutique, ainsi que dans 45 points
de vente au Canada, aux États-Unis et en Europe.
Veuillez communiquer avec eux par téléphone ou
par courriel pour connaître les points de vente les
plus près de chez vous.

Pantoufles Garneau
Les produits Groll inc.
Studio : 441, boul. Industriel
Asbestos, Québec J1T 4R3
Téléphone : 819 879-6257
Sans frais : 1 800 994-7655
Fax : 819 879-6239
Courriel: info@pantouflesgarneau.com
Site Internet : www.pantouflesgarneau.com

Rendez-vous sur leur site Internet pour connaître la
liste complète des points de vente au Québec, au
Canada et aux États-Unis. Vous pouvez également
vous procurer leurs produits sur le site.

Saute-mouton
565, rue de l'Argon
Charlesbourg, Québec G2N 2G7
Téléphone : 418 849-2222
Fax : 418 849-1333
Courriel : info@saute-mouton.com
Site Internet : www.saute-mouton.com

En vente au Canada, dans les magasins spécialisés.

SACS

Aquabelle
Saint-Aimé-des-Lacs, Québec
Téléphone : 418 439-3377
Fax : 418 439-4839
Courriel: lesproduitsaquabelle@gmail.com
Site Internet : www.produitsaquabelle.com

Rendez-vous sur le site Internet pour connaître
la liste complète des points de vente au Québec.
Vous pouvez également vous procurer leurs
produits sur le site.

Direction Vert
917, rue Bourassa
Sorel-Tracy, Québec J3R 3C6
Sans frais : 1 866 323-0383
Courriel : info@directionvert.com
Site Internet : www.petiterosie.com
                www.directionvert.com

Veuillez communiquer avec eux par
téléphone ou par courriel pour connaître
les points de vente les plus près de chez vous.

Lily Écolo
691, des Abbés-Primeau
Boucherville, Québec J4B 3P7
Téléphone : 450 552-0674
Courriel : info@lilyecolo.com
Site Internet : www.lilyecolo.com

Veuillez communiquer avec eux par téléphone ou
par courriel pour connaître les points de vente les
plus près de chez vous.

Noc
1312, rue de l'Harricana
Amos, Québec J9T 4J7
Téléphone : 819 442-1977
Fax : 819 732-4420
Courriel : info@nocdesign.com
Site Internet : www.nocdesign.com

Rendez-vous sur leur site Internet pour connaître
la liste complète des points de vente.

BIJOUX

Alain Miville-Deschênes
Québec, Québec
Courriel : amd@miville-deschenes.com
Site Internet : www.vestiges.ca

Veuillez communiquer avec l'artiste par courriel, si vous voulez faire l'acquisition d'une de ses œuvres.

Caroline Néron
Coquette inc.
Boîte postale 22514, Monkland
Montréal, Québec H4A 3T4
Téléphone : 514 759-8672
Fax : 514 759-8674
Courriel : info@carolineneron.com
Site Internet : www.carolineneron.com

En vente dans 140 boutiques et grands magasins au Québec, au Canada, aux États-Unis et en France. Veuillez communiquer avec eux par téléphone ou par courriel pour connaître les points de vente les plus près de chez vous.

Diane Balit
Boîte postale 41067
Laval, Québec H7E 5H1
Téléphone : 450 664-3271
Fax : 450 664-0708
Courriel: diane@balit.com
Site Internet : www.balit.com

En vente dans plusieurs boutiques spécialisées : Boutique Mixi (958 Boul Cartier, Québec, Québec), Magasins La Baie : Galerie Laurier, Galerie de la Capitale, Galerie Fleurs de Lys, La Baie, rue Ste-Catherine , Montréal, La Baie Carrefour Laval, La Baie Fairview, La Baie , rue Yonge Toronto. Vous pouvez également vous procurer ses produits sur son site Internet.

Stella Bijoux
2065, rue Parthenais, bureau 286,
Montréal, Québec H2K 1E4
Téléphone : 514 678-0749
Courriel : isabel@isabeldesy.com
Site Internet : www.isabeldesy.com

Rendez-vous sur le site Internet pour connaître la liste complète des points de vente au Québec, au Canada et aux États-Unis.

SOINS CORPORELS

L'Art au quotidien
6833, rue de l'Épée
Montréal, Québec H3N 2C7
Téléphone : 514 270-2253
Fax : 514 270-0826
Courriel : artauquotidien@artauquotidien.com
Site Internet : www.artauquotidien.com

Veuillez communiquer avec eux par téléphone ou par courriel pour connaître les points de vente les plus près de chez vous.

Bleu Lavande
891, chemin Narrow (route 247)
Stanstead (Fitch Bay), Québec J0B 3E0
Téléphone : 819 876-5851
Sans frais : 1 888 876-5851
Fax : 819 876-2574
Courriel : info@bleulavande.ca
Site Internet : www.bleulavande.ca

En vente à la boutique Bleu lavande. Rendez-vous sur leur site Internet pour connaître la liste complète des autres points de vente au Québec et en Ontario. Vous pouvez également vous procurer leurs produits sur le site.

Druide
154, Oneida Drive
Pointe-Claire, Québec H9R 1A8
Téléphone : 514 426-7227
Sans frais : 1 800 663-9693
Fax : 514 426-7233
Site Internet : www.druide.ca

En vente dans les magasins spécialisés, en Amérique du Nord, en Europe et en Asie. Vous pouvez également vous procurer leurs produits sur leur site Internet.

Domaine de la Chevrottière
326C, rue Bruce
Dunham, Québec J0E 1M0
Téléphone : 450 295-3584
Sans frais : 1 877 295-3584
Courriel : chevrottiere@hotmail.com
Site Internet : www.domainedelachevrottiere.com

En vente à la boutique du domaine.

Fruits & Passion

21 Paul-Gauguin
Candiac, Québec J5R 3X8
Téléphone : 1 800 276-9952
Courriel : info@fruits-passion.com
Site Internet : www.fruits-passion.com

En vente dans les boutiques Fruits & Passion.
Rendez-vous sur leur site Internet pour
connaître la liste complète des points de vente
dans le monde. Vous pouvez également vous
procurer leurs produits sur le site.

Les Soins Corporels l'Herbier

Boutique atelier :
27, chemin de la Montagne
Mont-Saint-Grégoire, Québec J0J 1K0
Téléphone : 450 358-5902
Site Internet : www.lessoinscorporelslherbier.com

En vente à la boutique de l'entreprise.
Rendez-vous sur le site Internet pour
connaître la liste complète des autres
points de vente dans le monde.

Dermtek Pharmaceutique ltée

1600, autoroute Transcanadienne, Bureau 200
Dorval, Québec H9P 1H7
Téléphone : 514 685-3333
Sans frais : 1 800 465-8383
Fax : 514 685-8828
Site Internet : www.reversa.ca

En vente dans les pharmacies du Québec
et du Canada.

MUSIQUE

Caron-L'Écuyer

707, rue Saint-Vincent
Saint-Placide, Québec J0V 2B0
Téléphone : 450 258-2826
Courriel : caronlecuyer@videotron.ca

En vente dans plusieurs boutiques spécialisées :
L'Empreinte (272 rue Saint-Paul est, Vieux-Montréal),
Boutique du terroir (Aéroport P. E. Trudeau, Dorval),
Boutique métiers d'art (29 Notre-Dame, Place Royale,
Québec), Oh ! Bois dormant ($84\frac{1}{2}$ rue du Petit-
Champlain, Québec), Le magasin général (1196 rue
Saint-Jean, Québec), Signature Laurentides (2501 rue
de L'église, Val-David), Musée canadien des
Civilisations, (100 rue Laurier, Gatineau).

Casavant Frères

900, rue Girouard Est
Saint-Hyacinthe, Québec J2S 2Y2
Téléphone : 450 773-5001
Fax : 450 773-0723
Courriel : casavant@casavant.ca
Site Internet : www.casavant.ca

En vente à l'atelier Casavant Frères.

Guitares Boucher

40, route Saint-François
Berthier-sur-Mer, Québec G0R 1E0
Téléphone : 418 259-2083
Fax : 418 259-2283
Courriel : info@boucherguitars.com
Site Internet : www.guitareboucher.com

Rendez-vous sur leur site Internet pour connaître
la liste complète des points de vente au Québec,
au Canada et en France. Vous pouvez également
vous procurer leurs produits sur le site.

SPORTS

Faber & cie
2923, rue de la Faune
Québec, Québec G2A 3W8
Téléphone : 418 842-8476
Fax : 418 842-8477
Sans frais : 1 866 842-8476
Courriel : info@fabersnowshoes.com
Site Internet : www.fabersnowshoes.com

Veuillez communiquer avec eux par téléphone ou
par courriel pour connaître les points de vente les
plus près de chez vous. Vous pouvez également
vous procurer leurs produits sur le site.

Hannan Customs
Téléphone : 514 946-5006
Courriel : hannancustoms@videotron.ca
Site Internet : www.hannancustoms.ca

Veuillez communiquer avec eux par téléphone ou
par courriel pour vous procurer leurs produits.

Louis Garneau
30, rue des Grands-Lacs
Saint-Augustin-de-Desmaures, Québec   G3A 2E6
Téléphone : 418 878-4135
Fax : 1 800 463-8356
Site Internet : www.louisgarneau.com

Rendez-vous sur leur site Internet pour connaître
la liste complète des points de vente dans le monde.

Marinoni
1067 Levis
Lachenaie, Québec J6W 4L2
Téléphone : 450 471-7133
Fax : 450 471-9887
Courriel: info@marinoni.qc.ca
Site Internet : www.marinoni.qc.ca

En vente à la boutique Marinoni.Rendez-vous sur
leur site Internet pour connaître la liste complète
des autres points de vente au Québec et au Canada.

Wallaby Boomerangs
Téléphone : 514 597-1333
Site Internet : www.wallabyboomerangs.com

Rendez-vous sur leur site Internet pour connaître
la liste complète des points de vente au Québec,
au Canada et aux États-Unis. Vous pouvez
également acheter en ligne sur le site.

LOISIRS

Bacchus
Boîte postale 26, succ. Rosemont
Montréal, Québec H1X 3B6
Téléphone/Fax : 450 538-2002
Courriel : bacchus99@sympatico.ca
Site Internet : www.bacchuslejeu.com

Rendez-vous sur le site Internet pour
connaître la liste complète des points de vente.

Cirque du Soleil®
8400, 2e Avenue
Montréal,Québec H1Z 4M6
Téléphone : 514 723-7646
Fax : 514 722-3692
Site Internet : www.cirquedusoleil.com

Vous pouvez vous procurer des billets de spectacles
sur leur site Internet et sur le réseau Admission.
Veuillez noter que la marchandise est prioritairement
disponible sur les sites de tournées, dans les théâtres
permanents et sur la boutique en ligne du
Cirque du Soleil®.

Les Éditions Planète rebelle
7537, rue Saint-Denis
Montréal, Québec H2R 2E7
Téléphone : 514 278-7375
Courriel : info@planeterebelle.qc.ca
Site Internet : www.planeterebelle.qc.ca

Rendez-vous sur leur site Internet pour
connaître la liste complète des points de vente au
Canada, au Royaume-Uni et en France. Vous pouvez
également vous procurer leurs produits sur le site.

Éditions Gladius international inc
1525, av. Galilée
Québec, Québec G1P 4G4
Téléphone :418 681-2555
Sans frais :1 800 804-5998
Fax : 418 681-6440
Courriel : info@gladius.ca
Site Internet : www.gladius.ca

En vente dans les magasins de jouets et dans les
librairies, au Québec et en Ontario. Rendez-vous sur
leur site Internet pour connaître la liste complète des
points de vente.

Les Grands Ballets Canadiens de Montréal
4816, rue Rivard
Montréal,Québec H2J 2N6
Téléphone : 514 849-8681
Site Internet : www.grandsballets.qc.ca

Vous pouvez vour procurer des billets de spectacles
sur le site Internet ou à la billetterie de la Place des
Arts, 514 842-2112.

Raplapla
5037, Jeanne-Mance
Montréal, Québec H2V 4J9
Téléphone : 514 574-5217
Fax : 514 504-1035
Courriel : info@raplapla.com
Site Internet : www.raplapla.com

En vente principalement à Montréal, mais également
à travers le Canada, aux États-Unis et en Europe
dans des boutiques de musée, dans des boutiques
spécialisées pour enfants et dans des boutiques
d'objets design ou artisanaux. Rendez-vous sur
leur site Internet pour connaître la liste complète
des points de vente.

PAPETERIE

Papeterie Saint-Gilles
304, rue Félix-Antoine-Savard
Les Éboulements - Saint-Joseph-de-la-Rive, Québec
G0A 3Y0
Téléphone : 418 635-2430
Sans frais : 1 866 635-2430
Fax : 418 635-2613
Courriel : papier@papeteriesaintgilles.com
Site Internet : www.papeteriesaintgilles.com

En vente à l'atelier-boutique. Vous pouvez également
vous procurer leurs produits sur le site Internet.

Schleeh Design
4010, rue Saint-Patrick, suite 222
Montréal, Québec H4E 1A4
Téléphone : 514 762-3720
Fax : 514 762-5398
Site Internet : www.schleehdesign.com

En vente dans les galeries d'art, dans les boutiques
spécialisées au Québec, au Canada, en Europe et aux
États-Unis. Entre autres, chez Birks et Holt Renfrew,
à Toronto.

Vert Tendre
Téléphone : 514 576-6376
Site Internet : www.vertendre.com

Rendez-vous sur leur site Internet pour connaître
la liste complète des points de vente. Vous pouvez
également vous procurer leurs produits sur le site.